D1228000

guérir votre foie

DU MÊME AUTEUR :

Déjà parus

- Les plantes qui guérissent
- Les vitamines naturelles
- Le cœur et l'alimentation

En réimpression

- La réforme naturiste
- Le guide de l'alimentation naturelle
- La chaleur peut vous guérir
- Dossier fluor
- Les jus de santé
- Le guide de la femme naturiste
- La nutrition de l'athlète et du sportif
- La vitamine "E" et votre santé
- L'alcool et la nutrition
- Le bruit et la santé
- Information santé
- Les dangers de l'énergie nucléaire

Chez d'autres éditeurs

- Alimentation du sportif
- Les ultra-violets et votre santé

En collaboration :

- Jean-Marc Brunet, *la force et la santé*, Jean Côté
- *Recettes naturistes pour tous*, Lise Dauphin, n.d.

Jean-Marc Brunet, n.d.
de la Clinique Naturiste Brunet

GUÉRIR VOTRE FOIE

Édition:
Les Éditions de Mortagne
250, boul. Industriel, bureau 100
Boucherville (Québec)
J4B 2X4

Éditeur-conseil:
Le Naturiste J.M.B.
1351H rue Ampère
Boucherville (Québec)
J4B 5X3

Diffusion:
Tél.: (514) 641-2387
Télec.: (514) 655-6092

Dépôt légal:
Bibliothèque nationale du Canada
Bibliothèque nationale du Québec
1er trimestre 1984

ISBN: 2-89074-145-1

8 9 10 - 89 - 93 92 91

Imprimé au Canada

Introduction

Si vous ne ressentez pas de douleur au foie, cela ne signifie pas nécessairement que vous ne souffrez pas de maux hépatiques. En effet, les douleurs dues aux troubles du foie se logent souvent ailleurs que dans cette région de l'organisme.

Bien sûr, on connaît les cas de lithiase biliaire ou d'abcès qui eux, provoquent des douleurs du foie, mais généralement, ce sont d'autres symptômes qui sont révélateurs d'un désordre de la fonction hépatique. Les coliques hépatiques en sont un exemple.

Ne vous étonnez donc pas si votre naturopathe vous apprend un jour que votre foie fonctionne mal alors même que vous croyiez qu'il était en parfait ordre.

Ce livre a pour but de vous montrer comment le foie fonctionne, quelles sont les maladies qui peuvent l'affecter, quel régime alimentaire lui convient le mieux. Nous verrons aussi quels traitements sont appropriés dans tel ou tel dérèglement du foie.

Mais avant de commencer, je voudrais vous rappeler que ce livre ne peut en aucun cas vous dispenser de consulter un naturopathe qualifié si vous souffrez de quelque problème hépatique. En effet, je vous déconseille fortement l'auto-médication qui pourrait souvent avoir les effets contraires à ceux que vous recherchez. Aussi, les traitements que nous mentionnons ne le sont qu'à titre indicatif, sauf les plus anodins comme celui de l'application de la bouillotte d'eau chaude.

Mais avant d'en traiter plus précisément, tâchons de décrire l'organe qui nous occupe.

PREMIER CHAPITRE

Le foie,
qu'est-ce que c'est ?

On ignore trop souvent l'importance du foie dans le fonctionnement de l'organisme humain. Comme il doit filtrer tous les aliments que nous consommons, il est pourvu d'une multitude de cellules qui lui permettent d'accomplir cette tâche considérable. En effet, un seul lobule est formé de plus de 350,000 cellules hépatiques. Lorsqu'on sait d'autre part que le foie est formé de près d'un million de lobules, on peut commencer à se faire une idée de la richesse organique du foie. Par ailleurs, son efficacité est telle qu'il peut filtrer au-delà de six cents pintes de sang toutes les vingt-quatre heures.

Si nous insistons tellement sur la nécessité d'un traitement naturel du foie lorsque celui-ci fonctionne mal, c'est que la richesse même de cet organe interdit l'intervention chirurgicale. Celle-ci a en effet fort peu de chances de réussir à cause justement de la multiplicité des vaisseaux qu'il contient.

Le foie se trouve au-dessous du diaphragme, au-dessus de l'estomac et des intestins. Il occupe tout l'hypocondre droit et une partie de l'épigastre. Ce sont des ligaments ainsi que le diaphragme qui le maintiennent en place. S'il se déplace légèrement, c'est qu'il subit les effets du déplacement du diaphragme.

Ce sont les lobules hépatiques qui forment le tissu du foie. Ce sont de petits granules très nombreux de la grosseur d'un grain de blé. Chacun de ces lobules est une sorte de petit foie en miniature. Les cellules qui le composent varient fréquemment, selon qu'on est en période de digestion ou à jeun.

La veine porte

Qu'est-ce que la veine porte ? C'est essentiellement un vaisseau sanguin qui pourrait être comparé à un arbre aux multiples ramifications. Ces rameaux, les capillaires sont reliés à toutes les villosités et glandules de la paroi intestinale. Leur fonction est d'acheminer vers le foie les substances digérées qui y seront alors élaborées et transformées.

Mais attention, la veine porte n'est pas discriminatoire. ELLE ACHEMINE TOUT, les substances saines comme les poisons. C'est pourquoi, si on ne prend pas garde à son alimentation et si d'autre part on mène une vie par trop sédentaire, il y a de fortes chances qu'une très grande quantité de poisons se retrouve dans le foie, le forçant à un surcroît de travail, ce qui amènera inévitablement des troubles de l'organe ou sa dégénérescence.

La vésicule biliaire

Les conduits biliaires sont formés de la réunion des canaux interlobulaires. Le canal hépatique d'autre part est formé de la réunion des conduits biliaires et il reçoit le canal cystique venant de la vésicule biliaire.

Les canaux hépatique et cystique forment le canal cholédoque. Tout comme le canal pancréatique, il abouche dans l'ampoule de Vater, sorte de chambre ouverte sur la portion de l'intestin grêle formant le duodénum. Avant de se déverser dans le duodénum, la fusion des sécrétions biliaire et pancréatique s'opère dans l'ampoule de Vater.

Les villosités intestinales, le sang et le bol alimentaire transformé en chyle viennent du gros intestin. Ils rejoignent le foie par la veine porte. Celle-ci rejoint le foie par des milliers de ramifications formées par des veines radiées se terminant en capillaires. C'est donc là une veine d'exception.

Sang et chyle sont d'abord transformés et épurés. Puis les veines hépatiques les collectent et les acheminent vers la veine cave inférieure et l'oreillette droite du coeur. C'est au passage du sang dans le foie que s'élabore la bile.

C'est sous la dernière côte droite qu'on trouve la vésicule biliaire. Elle est appliquée contre la face interne du foie et elle est maintenue par le péritoine. Sa fonction est de transformer une partie de la bile et d'en régulariser l'écoulement. Elle a un rôle complémentaire à celui du foie qui assure déjà la fonction de désintoxication.

On pratique souvent l'ablation de la vésicule biliaire dans les cas où celle-ci est atteinte gravement. Cette opération n'est pas bénéfique : en effet, elle appauvrit le sang, rend la digestion plus difficile et l'organisme plus fragile.

La bile

La bile a une importance capitale dans le fonctionnement de l'organisme. Elle remplit plusieurs fonctions. Sa complexité même a de quoi étonner.

Par exemple, pour créer le milieu basique favorable à l'action de la lipase pancréatique sur les corps gras, la bile neutralise l'acidité du chyme. C'est encore la bile qui favorise l'absorption des graisses et de la vitamine K. Elle a aussi une fonction d'élimination. C'est elle en effet qui débarrasse l'organisme de certains corps toxiques et des déchets hémoglobiniques.

La bile est composée de sels biliaires, de cholestérol et de bilirubine, pigment qui donne sa couleur à la bile et colore les selles. Lorsque l'hémoglobine des globules rouges se désagrège, le fer est alors séparé et emmagasiné par le foie.

Il ne faut pas croire que la bile utilisée soit complètement éliminée avec les matières fécales. Au contraire, lors de son passage dans l'intestin, une partie en est récupérée et dirigée vers le foie. C'est là qu'elle sera rénovée et mêlée aux nouvelles sécrétions.

Donc si le foie fonctionne mal, il est certain que la composition de la bile en souffrira grandement. Le sang sera donc affecté lui aussi.

On voit donc que le foie est un organe relativement complexe et que ses maladies, surtout parce que le diagnostic en est souvent difficile, ne doivent pas être traitées à la légère. C'est pourquoi il est très important de ne pas tenter de se soigner soi-même sans savoir exactement de quelle nature est l'affection. Il vaut beaucoup mieux, dans tous les cas, consulter un naturopathe qualifié, qui saura bien identifier le mal et son traitement.

Le foie peut accomplir des prodiges, mais il ne faut quand même pas le taxer trop lourdement si on ne veut pas qu'il se révolte soudain devant la somme de poisons qu'on le force à traiter.

Par contre, si on prend garde de bien s'alimenter et de faire un minimum d'exercice physique, on verra le foie accomplir sa tâche jusqu'au bout. Il empêchera alors toute substance nocive de rejoindre d'autres parties de l'organisme et lui permettra donc de fonctionner normalement dans les meilleures conditions possibles.

Le foie, en somme, nous rend de si précieux services que nous ne pouvons jamais le traiter avec assez d'égards. Mais hélas, plus souvent qu'autrement, nous le surchargeons de travail jusqu'à l'épuisement. Les aliments commerciaux que nous consommons aujourd'hui contiennent une telle quantité de poisons que ce pauvre foie a beau s'acharner à tenter de nous en protéger, il finit pourtant par ne plus en avoir la force. Ces aliments chimifiés amènent au foie du plomb, de l'arsenic, du cuivre, du soufre, du DDT, du salicylate, de l'acide benzoïque, du salpêtre, des colorants et des aromatisants synthétiques. De plus nous ingurgitons force pilules et médicaments au moindre signe de mal de dents, de constipation ou autre maladie bénigne de sorte que nous ajoutons encore aux tribulations de cet organe pourtant si bien adapté aux fonctions qu'il doit remplir.

Les poisons

Les poisons peuvent être absorbés par l'organisme de différentes manières.

Si nous en parlons dès maintenant, c'est qu'ils ont souvent une très grande importance dans les dérèglements du foie.

On connaît en premier lieu les poisons tactiles. Ce sont des poisons qui agissent par simple attouchement. Par contre, une piqûre ou une blessure pourront introduire des poisons dans le sang. On les nomme donc poisons sanguins.

Les plus connus de tous les poisons sont bien sûr ceux qu'on absorbe par l'alimentation et qui sont digérés en même temps que les substances nutritives.

Ajoutons à cette liste les poisons qu'on respire et qui rejoignent directement les poumons. À notre époque d'air pollué, ceux-ci ont soudain acquis une importance considérable.

Bien sûr, tous ces poisons ne sont pas nocifs au même degré et ils agissent différemment sur les créatures vivantes. Tel animal se nourrira d'un serpent venimeux qui en tuerait un autre instantanément. Tel poison n'aura qu'une légère influence sur telle personne pendant qu'il en conduira une autre à la mort.

Chez l'être humain en tout cas, il est certain que le foie, selon qu'il est sain ou dégénéré, permettra à l'un de résister facilement à l'empoisonnement pendant que l'autre contractera une maladie grave à la suite de la consommation des mêmes substances.

Il faut donc faire très attention, non seulement de garder son foie en bonne santé, mais également de prévoir que tel ou tel remède, tel ou tel aliment consommé sans danger par quelqu'un peut avoir des conséquences fort nocives chez un autre.

Nous ne soulignerons jamais assez la nécessité de consulter un naturopathe compétent dans tous les cas, d'abord pour s'assurer une alimentation saine et ensuite pour se faire prescrire un remède naturel si, malgré tout, le besoin s'en fait sentir.

DEUXIÈME CHAPITRE

Les fonctions du foie

Le foie est une énorme glande qui peut peser jusqu'à cinq livres avec le sang qu'elle renferme. Il a de très nombreuses fonctions.

D'abord et avant tout il participe à la fonction de la digestion. Le tube digestif absorbe certaines de ses sécrétions pendant que d'autres se déversent directement dans le sang.

Placé entre l'intestin et le coeur, il sert alors de filtre.

Organe biliaire et glande endocrine, il joue un rôle considérable dans le maintien d'un état général de santé.

La fonction hépatique est capitale dans la formation du sang, la transformation des protides et des graisses, la fixation des matériaux d'entretien ou de construction, la neutralisation de certains poisons, la production de plusieurs enzymes, l'accomplissement des fonctions de régulation.

C'est encore le foie qui assure la transformation biologique des matériaux avant que ceux-ci ne soient distribués dans l'organisme. Des aliments qui pourraient autrement être toxiques sont rendus inoffensifs par l'action du foie.

Le foie est également un organe protecteur de tout l'organisme.

Il élabore les substances nécessaires pour lutter contre la maladie ou l'infection.

La fonction digestive

La digestion et l'utilisation des graisses sont rendues possibles par la bile que sécrète le foie au taux de 500 à 1 000 c.c. toutes les 24 heures.

Pour que les substances nutritives soient métabolisées, il faut nécessairement qu'elles subissent l'intervention des sécrétions hépatiques.

Le foie a une telle puissance de désintoxication que — très souvent — un remède administré par voie buccale et empruntant le chemin du foie verra sa toxicité diminuer considérablement, alors que s'il était introduit directement dans le sang, celle-ci garderait toute sa force. Il ne faut pas oublier cependant que cette façon de faire peut épuiser le foie rapidement et même provoquer la destruction des cellules hépatiques.

Quand on parle de déchets ou de toxines, de poisons comme la nicotine ou la caféine, on doit encore savoir qu'il appartient au foie de transformer, de fixer ou d'éliminer tous ces poisons.

L'organisme ne peut pas utiliser les graisses si elles n'ont pas d'abord été émulsionnées par la bile.

L'acide urique, après avoir été transformé en urée, sera évacué dans l'urine grâce au foie et à ses sécrétions. Il en va de même des sels ammoniacaux et des acides aminés excédentaires, qui risqueraient de devenir dangereux pour l'organisme qu'ils sensibiliseraient à toute excitation, d'origine protéinique ou autre, s'ils n'étaient pas ainsi transformés et éliminés.

Combien de crises de rhumatisme, d'asthme ou d'urticaire sont dues à la déficience des fonctions hépatiques !

Si le foie fonctionne mal, la défense de l'organisme est faible. C'est alors qu'une partie des substances toxiques absorbées passe directement dans le sang. Les organes et les centres nerveux sont alors bouleversés et on peut assister à tous les dérèglements.

Il est donc fort important que le foie soit en bonne santé et fonctionne bien, sans quoi c'est tout l'organisme qui souffrira de ses déficiences.

Les protides

L'organisme a besoin de protéines, ou protides. Mais elles ne peuvent pas être assimilées telles quelles. Elles doivent être convenablement désintégrées. D'autre part, leur transformation produit nécessairement des déchets qui doivent être éliminés.

Ce qu'on appelle l'albumine constitutive du corps humain provient des albumines alimentaires dégradées par la bile et emmagasinées par le foie. Si une hémorragie devait provoquer une diminution du taux des protéines dans le sang, le foie serait alors en mesure de réagir rapidement et de rétablir l'équilibre nécessaire.

Si les albumines sont mal transformées alors que le foie est déficient, certains poisons passeront alors dans le sang et provoqueront des troubles humoraux.

La fonction hématopoïétique

Le foie peut entraver une tendance à l'hémophilie ou une tendance à une excessive coagulation. Il ne fabrique pas directement les globules sanguins, mais il régularise la teneur du fer dans ceux-ci ainsi que l'indice de coagulabilité du sang. C'est ce qui le rend propre à entraver les tendances que nous avons mentionnées plus haut.

On sait que lorsque l'organisme doit se défendre, il doit fabriquer des globules blancs. C'est alors le foie qui fournit les protéines nécessaires à cette fin.

Le foie doit stocker un certain nombre de substances pour bien remplir ses fonctions. S'il est engorgé, il se voit incapable de remplir cette fonction de stockage. D'autre part, s'il est insuffisant, il sera incapable de transformer les substances qu'il aura emmagasinées. La cirrhose aura les mêmes conséquences. Le résultat net de ce mauvais fonctionnement, c'est l'anémie.

On traite parfois l'anémie par du foie d'animal. Mais c'est un traitement qui, le plus souvent, apporte plus de mal que de bien à cause des toxines qu'on trouve dans le foie même de l'animal et que le sujet en traitement sera incapable d'éliminer. Si on veut véritablement obtenir un résultat satisfaisant, il faut d'abord rétablir les fonctions normales.

Si le foie assure la coagulation du sang, c'est encore grâce à l'intervention d'une sécrétion hépatique qu'il en assure la fluidité ; sans quoi il se coagulerait dans les vaisseaux. Ces deux fonctions semblent contraires mais en fait elles ne sont que complémentaires et procèdent toutes deux du même principe.

La fonction hormonale

Le foie produit évidemment ses propres hormones mais on en connaît encore mal le rôle. Il assure également la transformation des hormones stéroïdes (surtout sexuelles). Il réglemente d'autre part la production de folliculine. Or aussi bien l'insuffisance que l'excès de folliculine sont facteurs de troubles organiques dont les symptômes peuvent être l'angoisse et l'hypersensibilité.

La fonction hormonale du foie ne saurait donc être négligée si l'on ne veut pas subir de conséquences fâcheuses.

La fonction enzymatique et vitaminique

On a déjà souligné que le foie était une sorte de magasin où on trouve toutes sortes de substances qui y sont pour ainsi dire, stockées.

C'est le cas de nombre d'enzymes et de vitamines, notamment la vitamine A, élaborées et emmaganisées par le foie.

C'est encore le foie qui a la propriété de transformer en vitamine A le carotène.

C'est encore lui qui sécrète les harmozones (substances servant aux échanges nutritifs, au maintien du milieu intérieur et des formes du corps).

Les fonctions de régulation

Les fonctions de régulation du foie sont nombreuses et importantes. Nous avons déjà mentionné l'une d'elles : la production des oestrogènes.

Nous ne pouvons pas ignorer le rôle qu'il joue également dans les différents métabolismes : il intervient dans la synthèse des protides, dans la régulation des hydrates de carbone, et dans le métabolisme des lipides.

C'est le foie qui régularise la teneur du fer dans les globules sanguins.

La température interne de l'organisme doit être constante. Le foie contribue encore à cette régulation.

S'il arrive parfois que la congestion se manifeste dans certaines parties de l'organisme, le foie, en assurant la concentration du sang, intervient alors comme régulateur de la circulation.

Certaines substances sont nécessaires à l'organisme, mais si elles dépassent un certain taux de concentration, elles peuvent devenir nocives. Le foie verra alors à en éliminer les surplus.

Il en est ainsi du cholestérol, nécessaire à l'organisme, mais qui parfois s'accumule en trop grande quantité. Le foie le répartit selon les besoins et en neutralise le surplus.

Si le taux de concentration des acides aminés dans le sang est trop grand, il devient un danger parce qu'ils se conduisent alors comme un poison. C'est le foie qui voit encore à leur régulation.

Toutes ces substances sont donc utiles ou non selon que le foie les utilise bien ou non. C'est pourquoi un mauvais fonctionnement de cet organe peut produire des troubles graves.

Lorsqu'on mange trop, le foie transforme en poisons comme l'urée les substances excédentaires. Si l'évacuation ne se fait pas bien parce que le foie fonctionne mal, tout l'organisme risque d'être intoxiqué.

Si le foie est déficient de façon permanente, on assistera à un abaissement de la température moyenne interne. S'il fonctionne trop ou s'il est congestionné, on assistera au phénomène contraire. S'il fonctionne parfaitement, on peut plus facilement supporter d'assez importantes variations de la température ambiante.

Les fonctions de régulation du foie ont donc une importance capitale dans le bon fonctionnement de tout l'organisme.

On peut dès maintenant, sans pour autant entrer dans le traitement des maladies du foie, indiquer que l'un des traitements les plus efficaces et les plus sûrs des problèmes hépatiques est l'application de la bouillotte d'eau chaude sur le foie le soir au coucher. C'est une pratique qui peut être quotidienne et qui aura un effet considérable de stimulation des fonctions hépatiques et le désengorgement. Cette simple habitude évitera souvent au foie des maux plus sérieux.

TROISIÈME CHAPITRE

Ce qui défavorise une bonne fonction hépatique

Nous avons déjà une petite idée des problèmes que peut créer un foie déficient ou engorgé. C'est donc dire qu'une condition hépatique normale est un facteur général de santé pour tout l'organisme.

C'est l'abus, comme toute autre chose, qui permet au foie de se dégrader : alcool, graisses, médicaments, café, etc., sont souvent des éléments majeurs qui sont responsables des dérèglements de la fonction hépatique.

Nous allons maintenant passer en revue quelques-uns de ces facteurs.

Le pain blanc

Il faut bien le dire : le pain blanc que nous mangeons tous les jours n'a presque aucune valeur nutritive. Il est dépourvu de toutes les qualités qu'il devrait normalement avoir.

On en enlève le son, et on élimine ainsi 80% du calcium et du phosphore nécessaires à la transformation des éléments nutritifs et à certaines opérations de synthèse.

On en soustrait également le germe du blé. Or c'est dans l'enveloppe de celui-ci qu'on trouve toute la vitamine B du grain de blé.

En fait, ce pain est surtout composé d'amidon et d'une très grande quantité de levure, trop souvent chimique.

Résultat : il est complètement dévitalisé et son ingestion contribue souvent à la formation de gaz.

Il est vidé de ses ferments et de ses vitamines. Le foie en a besoin pour assumer des fonctions essentielles. Comme il y a carence de ce côté, il est obligé de redoubler d'efforts pour assumer pleinement son rôle. Il se fatigue, s'use et entre rapidement en dégénérescence avec toutes les conséquences qu'on peut maintenant imaginer.

Il faut donc revenir au vrai pain, qui est riche en éléments nutritifs de toutes sortes. Nous en reparlerons plus loin.

Le sucre industriel

Le sucre industriel ne contient ni éléments protecteurs, ni aucun des ferments nécessaires à son utilisation par l'organisme. Il ne faut pas oublier qu'il n'est qu'un extrait de la canne à sucre et partant, il reste toujours incomplet.

Les fruits qui contiennent du sucre, contiennent également des enzymes et certains sels minéraux nécessaires à leur digestion et à leur assimilation. Ce n'est pas le cas du sucre industriel. C'est alors que le foie se voit encore obligé de combler une carence. Cela ne va pas sans effort.

Par ailleurs le sucre, à la suite de certaines modifications qui se produisent dans les intestins, produit un acide oxalique résiduaire. Celui-ci s'oxyde dans les muscles. C'est encore le foie qui doit voir à le neutraliser. S'il ne fournit pas à la tâche, cet acide passe dans le sang, envahit les tissus avant d'être éliminé par les reins. Il peut s'ensuivre des migraines, des troubles nerveux, des rhumatismes, de la fatigue.

Ce pauvre foie subit les assauts de tous ces éléments anti-naturels qu'il n'arrive plus à combattre avec efficacité. Les résultats sont pourtant là qui devraient nous rappeler à la raison.

Les margarines et les huiles industrielles

Le foie joue un rôle important dans le maintien de l'équilibre acido-basique. S'il y a une prépondérance d'éléments acidifiants, ses fonctions seront perturbées. C'est ce qui se produit presque toujours dans le cas des margarines et des huiles industrielles.

Les margarines sont presque toutes fabriquées à base de graisses animales. Celles-ci ont souvent une odeur forte qu'on fera disparaître par hydrogénation catalytique. On utilise cette hydrogénation pour une autre raison : solidifier ces huiles. Le catalyseur qu'on emploie pour arriver à ces fins est presque toujours le nickel.

Il reste toujours des traces de nickel dans les margarines qu'on achète au magasin. Comme il doit être neutralisé, on fait encore appel au foie. L'hydrogénation, d'autre part, détruit certains acides polyéthiléniques indispensables à la formation des tissus. Les cellules usées ne trouveront donc pas dans ces produits les substances nécessaires à leur reconstitution, fonction qui revient à la glande hépatique.

Ajoutons que les procédés d'extraction, à cause des solvants chimiques et des hautes températures qu'on emploie, détruisent dans les huiles et graisses végétales industrielles la plupart des éléments vivants qu'elles contenaient au départ.

Enfin, nous ne pouvons pas oublier que margarines et huiles sont difficiles à digérer, et qu'elles forcent le foie à redoubler d'efforts.

C'est pour toutes ces raisons que nous conseillons l'élimination des margarines et huiles industrielles du menu quotidien. Votre foie, en tout cas, pourra fort bien s'en passer.

L'excès de cuisson

Nous faisons presque toujours trop cuire nos aliments. Nous en altérons ainsi irrémédiablement le goût. Mais il y a plus, l'excès de cuisson détruit une grande partie des ferments et des enzymes qui se trouvent dans les aliments et dont le foie a besoin pour en assurer la transformation. En l'absence de ceux-ci, le foie doit redoubler d'efforts pour en produire une partie.

La cuisson au «presto» est particulièrement néfaste à cause des températures très élevées qu'elle fait subir aux aliments. Elle rend ainsi inutilisables certains acides aminés. Encore là, c'est le foie qui sera porté au surmenage.

La pâtisserie

La pâtisserie commerciale n'a pas plus de valeur que le pain blanc industriel. On y trouve toutes sortes de produits dénaturés qui ne peuvent que troubler le foie : les levures chimiques, l'alcool, la poudre d'oeuf, les colorants et parfums chimiques, etc.

La confiserie

On trouve beaucoup de sucre industriel dans la confiserie.

Nous en avons déjà analysé les méfaits. À cela viennent s'ajouter, comme dans la pâtisserie, les colorants et parfums chimiques. Le foie devra évidemment travailler davantage pour réussir à les neutraliser au passage.

Comme il est déjà surmené, cela ne fera qu'accentuer les problèmes de la cellule hépatique.

Les médicaments et les aliments chimiques

À l'origine de la maladie et du déséquilibre organique, on trouve souvent les substances chimiques. Ce sont soit des médicaments, soit des éléments qu'on ajoute dans certains aliments pour les colorer, pour en changer le goût, ou pour les conserver plus longtemps.

Les antibiotiques, par exemple, tuent beaucoup de microbes utiles à l'organisme. Bien sûr, certains résistent mieux que d'autres. Mais c'est là que réside le danger. Plus solides que les autres, ils vont se reproduire de façon exagérée et envahir les voies digestives et organes de nutrition, y compris le foie. Les diarrhées répétées indiquent que l'organisme tente désespérément de se défendre. Mais le mal est déjà fait.

Il faut toujours faire très attention de ne pas perturber l'équilibre du milieu naturel de l'organisme. Il suffit de peu de choses pour semer le désarroi dans les millions de cellules vivantes de celui-ci.

C'est pourquoi il faut toujours s'en tenir aux produits naturels pour se nourrir ou pour se soigner. La chimie provoque beaucoup plus de maladies qu'elle n'en guérit.

Les excès alimentaires

Le foie joue dans l'organisme un rôle complexe considérable. Il est chargé de transformer, de répartir et d'emmagasiner les éléments nutritifs.

On comprendra alors facilement que les excès alimentaires accroîtront considérablement sa charge de travail et qu'il finira par être incapable de pourvoir à tous les besoins de l'organisme.

En fait, on peut dire, sans crainte de se tromper, que c'est au foie que le surmenage alimentaire nuit le plus.

Si on le force trop, et de façon régulière, le foie finira par s'épuiser. Certaines envies de dormir, en plein jour, alors qu'on n'est pas vraiment fatigué, viennent justement de cet épuisement du foie.

La fonction hépatique étant ce qu'elle est, il est donc essentiel de faire en sorte qu'elle soit assurée de la meilleure façon possible. Il faut donc se nourrir d'aliments naturels, et jamais en quantités excessives.

L'alcool

Il n'y a pas que la nourriture solide qui puisse parfois être néfaste pour le foie. Il y a également l'alcool.

Il a été maintes fois démontré que plus de 80% des cirrhoses du foie résultent de l'alcoolisme.

L'alcool a un pouvoir sclérosant. Il fait durcir les vaisseaux, ce qui entrave la libre circulation du sang. Des déchets s'accumuleront rapidement et le foie s'épuisera à tenter de les éliminer.

Dans ces conditions, les cellules du foie meurent. Les tissus se sclérosent. Le foie grossit par suite de la prolifération du tissu conjonctif au détriment des cellules constitutives normales. Cette hypertrophie du foie provoque un grand nombre de perturbations dans les fonctions hépatiques et autres.

Ce n'est pas tout. L'alcool élève dans le sang le taux de cholestérol de désassimilation. C'est alors l'intoxication générale qui s'installe. Ajoutons que l'alcool tue les vitamines des aliments. Enfin il empêche la synthèse par le foie de la vitamine A.

Il faut donc se méfier au plus haut point de l'alcool et il est bien inutile de se chercher des excuses pour boire en se faisant croire, par exemple, que l'alcool est moins nocif qu'on le dit. Il est au contraire très nocif et si on en prend, il vaut mieux savoir exactement à quoi il faut s'attendre.

Le tabac

Lorsqu'on parle de la nocivité du tabac, on pense surtout aux effets désastreux qu'il peut avoir sur les poumons. Mais il affecte également le foie.

Le foie filtre le sang pour le débarrasser des substances toxiques qu'il peut contenir. Or, les poisons du tabac passent dans le sang, et par ce canal, rejoignent le foie.

La nicotine a un pouvoir sclérosant considérable. Tous les vaisseaux sanguins en sont rapidement atteints. Le foie tentera bien, dans ces conditions, une ultime défense, mais, atteint lui-même par ce terrible poison, il devra bientôt capituler.

On ne dira donc jamais assez tout le mal que produit le tabac dans l'organisme. Il faut s'en abstenir à tout prix.

Le thé, le café, le chocolat

Il existe un certain nombre d'autres produits que nous avons tout intérêt à éviter si nous voulons demeurer en santé : il s'agit notamment des produits riches en méthylxanthines comme le thé, le café et le chocolat.

De plus, c'est sur le foie qu'ils ont les conséquences les plus néfastes.

Rien ne saurait mieux illustrer ce fait que de citer textuellement un passage du livre de Raymond Barbeau, n.d. : *La cause inconnue des maladies.* Raymond Barbeau, dont la réputation n'est plus à faire, nous explique ici ce qui se passe quand nous consommons thé, café ou chocolat.

«On sait le vaste rôle du foie dans le maintien de la santé : l'affecter, comme le font les produits méthylxanthinés, ne peut que contribuer à rendre des foules de gens malades.»

«En 1947, le Dr H.F. Hawkins, D.D.S., dans son ouvrage *Applied Nutrition*, écrit : «Plusieurs personnes souffrent de fréquentes attaques bilieuses. Dans tous ces cas, on peut s'attendre à trouver un dysfonctionnement hépatique avec un bas rapport de phosphore. L'état peut être aggravé par la consommation du café, du chocolat, des oeufs ou par une alimentation riche en gras. Dans les cas de petits dérangements du foie, une absence des symptômes et un bon degré de confort peuvent être obtenus par l'élimination de ces aliments offensants. »

«Le Dr Amoroso, en 1970, dans *Le monde hallucinant de la drogue*, souligne que «tous les théinomanes se caractérisent entre autres par une insuffisance hépatique grave et des troubles rénaux divers. »

« En 1950, le Dr J.H. Kay a expliqué les dommages causés au foie et les déficiences multiples en vitamines que la consommation abusive de café entraîne. Les pertes sont particulièrement lourdes du côté des vitamines du fort important complexe B. »

Hypertrophie du foie

J. Andrian, R. Frangne, J. Xagregas et A. Corte dos Santos (1969) ont utilisé une ration de base complète et équilibrée contenant 87,5% de farine blanche de blé, 5,6% de poudre de lait écrémé, et ont donné cette ration pendant 56 jours à des lots de 12 rats (poids de 50 g. environ) sous forme de pâte humide comportant 775 g. d'eau ou de boisson de café provenant de 150 g. de grain vert ou grillé plus ou moins (de 13,9 à 24,5% de perte de masse).

Leurs conclusions : « Le régime témoin, humidifié avec de l'eau, permet une croissance nettement plus intense et une efficacité nutritionnelle légèrement supérieure à celle des autres lots. » Le retard de croissance entraîné est de 18% par rapport au lot témoin. Ils ajoutent : « En fin d'expérience, après 56 jours de régime, on enregistre une hypertrophie du foie : le café vert provoque un accroissement de 9% de cet organe, mais les produits de grillage renforcent cette action puisque l'hypertrophie atteint 20% avec le café le plus fortement grillé. Le café tendrait aussi à une légère hypertrophie rénale : 5%. »

B.F. Daubert (1967) a lui aussi constaté l'hypertrophie hépatique à la suite de la consommation de café, et il l'attribue principalement à la caféine.

« Notons que le café hypertrophie le foie et les reins. »

Or, comment des organes si importants pour la santé peuvent-ils fonctionner longtemps dans un tel état ? Comment pourront-ils s'acquitter de leur tâche métabolique et de désintoxication ? Ils ne le pourront pas adéquatement, et à la longue, ils permettront des rétentions toxémiques très graves.

Catharyn Elwood, en 1961, dans *Feel like a Million*, dira : « Des quantités excessives de poisons, comme la nicotine, le DDT, la caféine, la morphine et l'atropine, ne peuvent être détoxifiés, alors ils surchargent et endommagent le foie. » D'où il faut conclure que ces rétentions toxémiques engendreront toutes sortes de malaises, désordres et maladies.

De plus. J.I. Rodale, en 1969, écrit dans *Cancer : Facts and Fallacies* : « L'acide tannique, qui donne le cancer du foie chez les rats de laboratoire, existe naturellement dans le thé et le café. »

Pathologie multiple

En 1886, le *National Dispensatory* (Codex médical) des États-Unis ne craignait pas de décrire sérieusement les maladies et les symptômes découlant de la consommation du café et du thé. En voici les principaux : indigestion, acidité, brûlement d'estomac, tremblement, débilité, irritation, dépression, paralysie, douloureuse tension musculaire, crampes, insomnie, palpitations cardiaques, pouls irrégulier et rapide, irritation de la vessie, tremblements des membres, maux de tête, bourdonnement d'oreilles, éclairs devant les yeux, fantasmes, intoxication, délire, incapacité physique et mentale, usure des tissus du cerveau et de la moelle épinière, nervosité, hémicrânie, contraction des vaisseaux sanguins, stimulation de l'estomac et des intestins, paralysie des fonctions digestives, congestion du foie, constipation et hémorroïdes.

La naturopathie a donc bel et bien raison de condamner les produits méthylxanthinés.

Le Dr George R. Clements, n.d., naturopathe, n'écrivait-il pas en 1963 : « La caféine, le théine, la théobromine et le tanin sont des éléments étrangers qui ne se rencontrent pas dans la composition de l'organisme, et conséquemment le corps ne peut pas les utiliser. Ces poisons entrent dans le sang et là accomplissent des dommages considérables au coeur, au foie, aux reins, au cerveau, au pancréas, à la rate, et à toutes les différentes glandes, aux tissus et aux cellules du corps. »

Raymond Barbeau, n.d., s'appuie donc sur les plus grandes autorités en la matière, pour affirmer sans hésitation que ces produits sont nocifs.

Il faut donc les éviter complètement et les remplacer par les thés, les cafés qu'on trouve dans les magasins d'aliments naturels ou par les tisanes qui non seulement sont bénéfiques, mais qui sont également si nombreuses qu'on peut en varier le menu à l'infini.

La carence en magnésium

Le magnésium est d'une importance capitale pour le foie. Sa carence peut amener des dérèglements importants.

Nous empruntons encore une fois à Raymond Barbeau, n.d., qui dans son livre : *L'importance du magnésium dans la santé*, cite Delbet qui affirme :

«J'ai constaté avec Wader, qu'introduit dans le duodénum, le chlorure de magnésium amène l'évacuation rapide de la vésicule. Par ce mécanisme, il peut rendre des services dans les affections des voies biliaires. Un de nos confrères m'a envoyé sa propre observation qui me paraît intéressante. Il avait des crises répétées de cholécystite et d'angiocholite avec des élévations thermiques à 39,6 degrés, des troubles intestinaux pénibles et persistants (diarrhées, météorisme, spasmes douloureux après les repas). Malgré un régime sévère et un traitement par les agents physiques sur la région hépatique et sur l'abdomen (diathermie, rayons infra-rouges), son état ne se modifiait guère. Il se mit au chlorure de magnésium, à la dose de 1,20 g. par jour, en supprimant toute autre médication. Voici les résultats : c'est lui qui les a rédigés : «Plus de crise hépatique, plus de douleurs dans la région du creux épigastrique ; les troubles intestinaux s'amendent. Au bout de quelques semaines, les selles deviennent normales, ce qui ne s'était pas produit depuis cinq mois. En deux mois, augmentation de poids de 10 kg. Transformation de l'aspect extérieur. Appétit normal, digestion facile, malgré le retour à un régime d'une sévérité atténuée. Possibilité, sans la moindre sensation de fatigue, de reprendre mes occupations habituelles. »

« Certaines taches du foie, de couleur ocre brun, qui paraissent sur les mains et le visage des gens âgés ou hépatiques, pâlissent assez rapidement et l'hyperkératose qui se produit parfois à leur surface cesse par l'application de pommade magnésienne. »

« Des expériences de laboratoire sur les animaux ont montré qu'une insuffisance prolongée de magnésium a entraîné des développements fibreux dans le foie semblables au début d'une cirrhose. Si l'on donne à des rats la nourriture de l'Américain moyen, de grandes régions du foie sont remplacées par du tissu cicatriciel. On leur donne en effet une alimentation élevée en hydrates de carbone, en gras saturés, légèrement déficiente en magnésium et le foie est touché.»

Citons pour finir le docteur Frank Mirce : « Le magnésium a un effet cholagogue, c'est-à-dire qu'il favorise l'écoulement de la bile par le relâchement du sphincter d'Oddi. Il accroît également l'activité des sucs pancréatiques et entéritiques. »

Il est donc clair que le foie a besoin de sa ration de magnésium pour fonctionner correctement.

Encore là, il faut consulter un naturopathe qualifié. Il vous indiquera quels aliments il faut consommer pour obtenir le taux nécessaire de magnésium dont votre organisme a besoin pour se maintenir en santé. À défaut de quoi, il pourra vous indiquer les succédanés que vous trouverez sous diverses formes dans les magasins d'aliments naturels.

Les vaccins

Ce n'est pas pour rien qu'on redoute les vaccins. En effet, ils constituent un corps étranger qu'on introduit dans l'organisme. En fait, on l'introduit directement dans le sang. Il s'achemine alors directement vers le foie dont une des principales fonctions est de lutter contre toute agression.

C'est le foie qui se verra alors obligé de sécréter des substances protectrices en grande quantité. D'autres envahisseurs indésirables, que le foie ne pourra pas combattre adéquatement, pourront alors surgir.

On sait d'autre part que les vaccins ont un pouvoir sclérosant considérable sur les tissus, et notamment sur ceux du foie.

Ajoutons encore que ces corps étrangers souilleront la bile qui, devenue impure, pourra mal assumer les fonctions qui lui sont dévolues.

Le surmenage

Le surmenage du foie est l'une des situations les plus courantes que nous rencontrons aujourd'hui.

Surmenage intellectuel physique ou les deux sont à redouter. En effet, le surmenage amène la production de toxines extrêmement dangereuses pour tout l'organisme. On connaît déjà le rôle important que le foie joue dans l'élimination de ces poisons.

Si la condition de surmenage est permanente, le foie ne suffira pas à la tâche. Bientôt, les poisons envahiront tout l'organisme et le foie lui-même, épuisé, sera affecté d'une façon ou d'une autre.

Il faut donc connaître la limite de ses forces et faire en sorte de ne pas les dépasser.

Le sédentarisme

Il est de première importance de faire de l'exercice et de ne pas rester assis à son bureau toute la journée, semaine après semaine, année après année. D'ailleurs, nous reviendrons plus loin sur ce sujet.

En effet, si certains déchets ne sont pas éliminés au niveau du poumon, c'est le foie qui écopera de la tâche.

D'autre part, le manque d'exercice entretient la constipation. Et qu'arrive-t-il dans ce cas ? Encore une fois, les déchets non éliminés se retrouveront au niveau du foie, qui devra accroître sa charge de travail en conséquence.

L'exercice physique régulier est donc nécessaire au bon fonctionnement du foie, ainsi que pour maintenir l'équilibre de l'organisme en général.

Voilà donc les principales causes des maladies du foie. Nous voyons qu'elles sont nombreuses et qu'elles amènent facilement des problèmes considérables. Il faut donc acquérir une certaine discipline si on ne veut pas se retrouver rapidement dans une situation difficile. Il est beaucoup plus sage d'entretenir constamment une saine condition hépatique que d'être obligé, le cas échéant, de soigner un foie malade qui, souvent, ne recouvrera jamais sa santé première.

QUATRIÈME CHAPITRE

Ce qui favorise une bonne fonction hépatique

S'il est un certain nombre d'aliments que le foie supporte mal, il en existe également un très grand nombre qui, par leurs qualités ou leur composition, favorisent le rendement de la fonction hépatique.

Tous ces aliments, bien sûr, sont naturels. Inutile d'insister sur ce point : les aliments chimifiés ou dénaturés ne peuvent en aucun cas favoriser l'équilibre de l'organisme.

Voici donc les principaux aliments favorables à la santé du foie :

Le pain complet

Nous avons vu au chapitre précédent à quel point le pain blanc commercial pouvait être contraire au bon fonctionnement du foie.

Il n'en va pas de même du pain complet qui lui, favorise l'équilibre de la fonction hépatique. Encore faut-il savoir de quoi nous parlons. Tous les « pains complets » ne sont pas toujours aussi complets qu'on veut bien nous le laisser croire.

La composition du pain complet, c'est la farine complète, celle qu'on obtient par la mouture du blé sans rien y ajouter ou sans rien y retrancher.

N'oublions pas non plus que ce pain doit être cuit à la chaleur d'un feu de bois. Les chauffages au gaz ou au charbon sont dangereux parce que leurs émanations sont facilement absorbées par le pain.

Il faut aussi que la fermentation du pain se fasse au levain. Il a été démontré nombre de fois que c'était la seule façon valable.

Il n'est pas toujours facile d'obtenir chez nous du pain complet, quoique de plus en plus, le marché s'accroissant, on commence à trouver des produits naturels dans nos épiceries.

Mais si on ne peut pas se procurer de pain complet, il vaut mieux s'abstenir de pain complètement, puisque la consommation du pain blanc industriel est complètement inutile quand elle n'est pas franchement nuisible.

Le lait

Il faut faire attention au lait. En effet, pris à l'état liquide, il peut créer des difficultés hépatiques chez plusieurs adultes, leur estomac n'en assurant plus la prédigestion.

Caillé, le lait est sain et facilement digestible.

Le yogourt

Puisqu'il s'agit essentiellement de lait caillé, le yogourt constitue un aliment sain, s'il est produit correctement.

Les fromages

Pour être bons, les fromages doivent être normalement fermentés. S'il en est ainsi, ils constituent un bon aliment dont on ne doit cependant pas abuser. Une fois par jour, en quantité modérée, cela est suffisant.

Le beurre cru

Le beurre doit être naturel, non pasteurisé. Dans ces conditions, il est recommandable d'en manger en quantité modérée.

Les oeufs

Les oeufs sont extrêmement riches en substances nutritives. Il ne faut donc pas en abuser. Deux ou trois par semaine devraient suffire.

Encore là, il faut se méfier des oeufs que nous trouvons couramment sur le marché et qui n'ont rien de trop «naturels». Ils sont produits par des poules installées dans des espaces extrêmement restreints, qu'on nourrit de la pire façon possible, et qu'on force à pondre en maintenant l'éclairage 24 heures par jour.

Ces oeufs sont nécessairement dénaturés et perdent ainsi nombre de leurs qualités.

Il faut donc s'efforcer de trouver des oeufs qui ont été pondus dans des conditions normales par des poules qui sont bien nourries, notamment de grain et de verdure.

Les viandes et les poissons

Le foie supporte très bien les viandes maigres. On peut facilement recommander le boeuf maigre.

Tous les poissons maigres sont également recommandables. Ils constituent l'un des aliments les plus sains qui soient.

Le raisin

Les fruits sont, en général, bons pour le foie.

Le raisin, par exemple, stimule les évacuations. Si le foie est malade, il contribue à l'élimination des boues et calculs biliaires.

La fraise

Il arrive parfois que, chez certaines personnes, la bile passe dans le sang et en teinte les téguments. C'est une condition anormale que la fraise tend à corriger.

La fraise est également un bon draineur.

La framboise

C'est le jus de framboise qu'il faut ici recommander. En effet, celui-ci agit favorablement dans les cas de fièvre bilieuse ou d'embarras gastro-intestinal.

L'olive

Il ne s'agit pas ici de toutes les olives mais bien de l'olive noire qui, seule, peut être mangée sans traitement préalable.

On peut avoir un peu de difficulté à s'y habituer car elle n'est pas de consommation courante chez nous, mais elle a suffisamment de valeur pour qu'il vaille la peine de s'en accommoder.

La tomate

La plupart des légumes sont bons pour la santé. Il faut les manger crus, le plus souvent possible. C'est en effet la seule façon de conserver tous leurs éléments vivants, substances de protection et d'énergie.

La tomate agit bien sur le foie. En effet, elle le seconde bien dans ses fonctions de neutralisation des poisons et d'acheminement des déchets.

La betterave

Elle est excellente et constitue un bon tonique.

La carotte

On sait que la vitamine A est facteur de rajeunissement. Or, c'est le carotène de la carotte qui permet au foie d'élaborer cette vitamine.

De plus, la carotte augmente la sécrétion biliaire, et constitue un excellent rénovateur du sang.

Le radis

Le radis est particulièrement recommandé dans les cas de jaunisse. C'est un excellent désintoxicant du foie.

L'oignon

Il contient de la glucokinine, ce qui le rend utile dans les cas de diabète.

Il est riche en sels minéraux et augmente la sécrétion glandulaire.

Il contient aussi du soufre, comme l'ail et le chou, corps minéral dont se sert le foie pour certaines opérations de synthèse.

L'artichaut

Il renforce la fonction antitoxique du foie tout en constituant un excellent tonique de la muqueuse hépatique. Il est fortement recommandé.

L'asperge

Elle contient du manganèse, ce qui lui permet de contribuer à la fonction de drainage du foie. De plus, comme elle contient du nitre, elle peut contribuer à la désinflammation du foie.

Le céleri

Draineur du foie. Utile dans les cas de jaunisse.

Le pissenlit

Le pissenlit augmente considérablement la sécrétion biliaire. Il n'y a rien de tel pour reconditionner le foie. Il aide également à l'élimination des excès de cholestérol ; en cas de calculs biliaires, il aide à les combattre.

En somme, c'est un très bon stimulant de toutes les fonctions hépatiques.

Le poireau

Il a des propriétés antiseptiques.

De plus, riche en sels minéraux, il regénère la cellule hépatique.

En fait, nous n'avons nommé ici que les légumes les plus importants et ceux qui sont le plus efficaces pour le maintien de la santé du foie.

Mais on peut dire que tous les légumes et salades sont à recommander, non seulement pour assurer le bon fonctionnement du foie mais également pour maintenir l'équilibre de tout l'organisme.

L'huile

Nous la mentionnons en dernier, mais c'est pour souligner son importance. De tous les corps gras, l'huile d'olive est en effet celui qui est le plus favorable au foie.

Toutes les huiles végétales sont acceptables mais elles doivent être obtenues par simple pression, à froid et sans solvants chimiques. Il faut donc se méfier de toutes les huiles commerciales qu'on trouve sur le marché, car, la plupart du temps, le procédé de raffinage les prive de toutes les vitamines A et E qu'elles contiennent.

L'huile d'olive naturelle est très digestible et conserve tous ses ferments.

De toute évidence elle stimule le foie mais on peut ajouter qu'elle constitue également un remède extraordinaire contre les calculs dans la vésicule biliaire.

Vous savez maintenant ce qu'il faut manger pour garder votre foie en santé. Mais n'oubliez surtout pas que tous ces produits doivent être naturels si vous voulez en profiter au maximum.

Il est temps de prendre dès maintenant l'habitude de ne manger que des aliments produits de la façon la plus naturelle possible. Vous pouvez peut-être en produire une certaine quantité vous-même, mais vous pouvez également vous les procurer dans tous les magasins d'alimentation naturelle qui se multiplient partout au Québec.

Il en existe sûrement un dans votre quartier. Il vaut toujours mieux, de toute façon, faire parfois le petit effort nécessaire pour se rendre à ce magasin que d'acheter n'importe quel aliment dénaturé à l'épicerie la plus proche.

CINQUIÈME CHAPITRE

Les symptômes des maladies du foie

Si les dérèglements du foie ne sont pas toujours faciles à identifier, il existe quand même un certain nombre de signes, de symptômes, qui les annoncent. Nous voudrions ici en indiquer quelques-uns. Ce sont les plus apparents. Ils peuvent être constants ou non, tout dépend en somme de la gravité de la maladie.

Maux de tête

Les maux de tête dus au dérèglement du foie prennent presque toujours la forme de sensations de lourdeur, d'un mal en cercle autour de la tête. On peut également sentir un serrement au niveau des tempes. Ils sont très souvent dus à la constipation qui, elle, est presque toujours causée par des troubles du foie.

L'urine

Presque toujours, celui qui souffre du foie n'urine pas assez. Lorsqu'il le fait, son urine est «chargée» ou trop claire. C'est que les fonctions éliminatrices sont perturbées.

Les nausées

Lorsqu'on fait des renvois de bile ou qu'on a des nausées fréquentes, il faut tout de suite regarder du côté du foie.

Les nausées dues à un dérèglement hépatique seront presque toujours accompagnées d'un manque d'appétit, voire de dégoût devant les aliments.

La bouche

L'hépatique a souvent la bouche pâteuse. Son haleine peut être très mauvaise. La langue est recouverte d'un enduit saburral, blanc, jaune ou verdâtre. Il y a parfois insalivation exagérée.

Le teint jaune

Ce sont les muqueuses, la peau et le globe de l'oeil qui se colorent en jaune. On connaît bien ce symptôme.

Les gaz

Les gaz ne sont pas nécessairement un phénomène anormal à condition qu'ils soient très peu fréquents et qu'ils s'évacuent normalement par en bas. Mais s'il y a «ballonnements» et si les gaz sentent très mauvais, c'est souvent qu'il y a condition morbide du foie. La sécrétion de la bile est insuffisante.

Les taches

Il arrive parfois que la peau ne se colore pas entièrement. Il se forme plutôt des taches à et sur la face dorsale des mains. S'il y a excès de cholestérol, il peut arriver que cela donne naissance à de petites protubérances aux paupières. Les taches peuvent également apparaître sur le front et autour du nez.

Les incommodités

Les maladies du foie ont souvent des conséquences très fâcheuses. On peut parler d'éblouissements et d'étourdissements. Parfois cela peut aller jusqu'aux vertiges. La neurasthénie et la dépression nerveuse peuvent également avoir pour origine un dérèglement important de la fonction hépatique.

Le sommeil

Si la digestion se fait mal, et c'est presque toujours le cas lorsque le foie est déréglé, il est à peu près certain qu'on souffrira d'insomnie. Le contraire est également vrai. C'est-à-dire que pendant la journée on se sentira souvent «lourd» et on aura envie de dormir.

Les points douloureux

Nous savons ce que sont les coliques hépatiques et à quel point elles peuvent être douloureuses. Mais la présence de calculs dans la vésicule peut aussi provoquer une inflammation ou une infection de la vésicule et des canaux. La douleur peut être ressentie comme telle ou alors seulement à la palpation.

Dans les cas d'engorgement ou de congestion du foie, il arrive aussi qu'une douleur se fasse sentir dans la région de l'omoplate droite ou sur l'épaule du même côté.

Si vous ressentez un de ces symptômes, n'hésitez pas à voir immédiatement votre naturopathe. Il est à peu près certain que votre condition hépatique est déficiente et qu'il faut y remédier au plus tôt.

SIXIÈME CHAPITRE

Les maladies du foie

Négliger la santé de son foie, c'est s'attirer des difficultés de toutes sortes. Il peut être affecté de troubles ou de lésions plus ou moins graves qui souvent, s'ils ne sont pas traités à temps, peuvent avoir des conséquences graves. Il faut donc bien les connaître si on veut les prévenir ou les guérir le cas échéant.

La cirrhose

Il existe une multitude de formes de cirrhose qu'il serait sans doute vain de vouloir décrire ici. Nous nous en tiendrons aux formes les plus courantes.

Mais qu'est-ce que la cirrhose ?

La cirrhose est une prolifération des cellules conjonctives qui entraîne une augmentation du volume du foie.

Cependant, la cirrhose atrophique se caractérise par une diminution du volume du foie et accompagne la sclérose des tissus. Si elle semble n'avoir pas les mêmes caractéristiques que les autres cirrhoses, c'est qu'elle en est le plus souvent à la phase terminale. Autrement dit la plupart des cirrhoses finissent en cirrhose atrophique.

La cirrhose alcoolique

Au Québec, nous sommes d'assez gros buveurs : c'est ce qui explique la fréquence de cette cirrhose particulière.

Dans ce cas, le sujet devient très maigre, mais son ventre grossit démesurément. C'est parce que du liquide s'accumule dans l'abdomen (ascite). S'ajoute à ces symptômes l'enflure des membres inférieurs. La langue est beaucoup plus rouge que d'habitude mais la bouche reste sèche, ce qui, sans doute, est un juste retour des choses.

Même la peau souffre de cette condition morbide : elle est sèche et écailleuse. L'urine se fait de plus en plus rare.

Si la maladie continue d'évoluer, l'hémorragie peut survenir à tout moment.

La cirrhose hypertrophique graisseuse

Elle ressemble à la précédente, mais au lieu de liquide, c'est de la graisse qui s'accumule dans les tissus hépatiques.

La cirrhose hypertrophique biliaire

Dans ce cas, nous assistons à la sclérose du foie qui augmente de volume. La rate est atteinte de la même façon.

La cirrhose bronzée

Des pigments ferrugineux s'infiltrent dans le foie et les reins. La peau change de couleur (mélanose). Elle accompagne très souvent le diabète sucré ce qui en augmente la gravité.

La cirrhose biliaire

Il arrive que les conduits biliaires soient atteints d'inflammation. Suit alors la prolifération du tissu conjonctif et nous avons alors la cirrhose biliaire.

Dans ce cas, le foie augmente ou diminue de volume.

La cirrhose cardio-tuberculeuse

Une manifestation tuberculeuse affecte à la fois l'enveloppe du coeur, le foie et le péritoine. Le foie augmente alors de volume. Il y a oedème et ascite abondante.

La jaunisse

La jaunisse est une maladie fort connue. Elle a frappé au moins une fois dans presque toutes les familles.

On l'appelle ainsi parce que la peau se colore en jaune. Cela est dû à une imprégnation des tissus par les pigments biliaires se trouvant en excès dans le sang.

Il existe des jaunisses aiguës et des jaunisses chroniques.

La jaunisse par rétention

Dans ce cas, les voies biliaires sont bloquées. Cela a pour conséquence d'empêcher l'écoulement de la bile dans l'intestin.

La jaunisse hémolytique

Nous avons ici affaire à la destruction massive des globules rouges. La rate augmente alors en volume et le sujet est atteint d'anémie.

La jaunisse biliphéïque

On l'appelle la «vraie» jaunisse. C'est la plus courante de toutes. La peau et les muqueuses se colorent par suite du passage de la bile dans le sang. Les pigments biliaires étant également éliminés, l'urine change elle aussi de couleur.

Le sujet atteint de cette jaunisse manque totalement d'appétit. Il peut avoir des nausées et des vomissements. L'intolérance gastrique est importante. Le degré de fièvre augmente. Malgré cela, le malade a toujours le sentiment d'avoir froid et il frissonne.

Ce n'est pas tout. Dans les cas graves s'ajouteront les maux de tête, les douleurs des articulations ou même des éruptions comme l'urticaire.

La jaunisse hépato-néphrite

Son nom la décrit fort bien : il s'agit d'une jaunisse causée par des lésions ou troubles conjoints du foie et des reins.

La jaunisse pléïochromique

Dans ce cas la bile s'épaissit. Cela est dû à la multiplication des pigments. Par conséquent, elle ne peut pas s'écouler normalement.

La lithiase biliaire

En langage courant, on parle de «calculs biliaires». Il s'agit de pigments et de cholestérol, mal utilisés ou non éliminés, qui s'accumulent dans la vésicule biliaire.

Leur présence en soi n'est pas douloureuse, mais les «coliques hépatiques» le sont. Celles-ci arrivent lorsqu'il se manifeste un début d'évacuation des concrétions biliaires.

Ces douleurs sont très vives. Il est difficile de respirer et souvent l'inspiration complète est impossible. Tout cela peut être accompagné de nausées et de vomissements. La température s'élève. L'organisme doit fournir un effort considérable. La crise dure environ trois jours mais si elle persiste, le cas est très grave et il faut au plus tôt consulter un naturopathe qualifié qui saura recommander les soins appropriés.

L'insuffisance hépatique

L'insuffisance hépatique n'est pas toujours causée de la même façon. En effet, il peut s'agir d'une défaillance fonctionnelle ou encore de l'obstruction partielle des canaux biliaires par de la boue ou des calculs biliaires. Il arrive que, dû à sa dégénérescence, le foie soit incapable d'accomplir ses fonctions normales.

L'engorgement constitue un autre problème. Cela se produit lorsque nous mangeons trop ou que nous mangeons trop «riche». Nous avons affaire alors à ce qu'on appelle communément « la crise de foie ». Elle est fort désagréable, douloureuse, s'accompagne souvent de nausées, de maux de tête, de frissons ou de vertiges. La constipation ou la diarrhée en sont parfois l'apanage.

Les troubles de la régulation du foie sont donc nombreux et courants. Il en existe plusieurs sortes comme nous venons de le voir. Ils ne sont pas toujours facilement identifiables comme tels, c'est pourquoi il vaut toujours mieux recourir, dans tous les cas, aux conseils d'un naturopathe qui, lui, saura diagnostiquer avec précision et soigner le mal dont vous souffrez.

SEPTIÈME CHAPITRE

Le dérèglement du foie et ses conséquences directes

Le dérèglement du foie peut avoir des conséquences fâcheuses. Elles seront directes ou indirectes mais elles procèdent toutes du même mal. Un foie malade entraîne tout l'organisme dans son processus morbide. Dans ce chapitre, nous verrons comment l'état du foie affecte *directement* d'autres organes ou d'autres fonctions organiques.

Les spasmes intestinaux

Il arrive souvent que les intestins soient pris de contractions spasmodiques. Dans certain cas, c'est le foie qui est coupable. Ou bien il y a insuffisance de sels biliaires dans les intestins ou bien la composition de la bile n'est pas parfaite. C'est alors que les parois intestinales s'échauffent. Les terminaisons nerveuses de ces parois sont alors affectées et les contractions surgissent. On ne règlera ce problème que par la normalisation de la fonction hépatique.

Les démangeaisons anales

Lorsque l'intoxication atteint cette région, nous avons alors affaire à un état morbide assez avancé pour qu'il nécessite de toute urgence un traitement adéquat.

Si d'une part, les déchets organiques sont en cours de fermentation, ils créeront un échauffement au passage dans le rectum et à l'anus. Si d'autre part le bol alimentaire est mal digéré, c'est tout au long de son trajet intestinal qu'il libérera des toxines. En passant dans le sang, ces poisons provoqueront une dangereuse intoxication. Pour s'en libérer, l'organisme aura parfois recours aux éruptions qui, logées au niveau de l'anus, seront cause de désagréables démangeaisons.

Les vers

Les vers ne peuvent survivre et se développer qu'en un milieu qui leur est favorable. Lorsque le foie fonctionne bien, le milieu leur est hostile et ils sont facilement éliminés. C'est à la bile qu'il faut s'en remettre si nous voulons lutter contre la présence des vers. En effet, si celle-ci est normale, si elle se trouve dans l'intestin en quantité suffisante et si elle contient tous ses éléments constituants, les vers ne pourront pas s'établir dans l'intestin. Ils seront rapidement neutralisés et évacués.

Bien sûr, on peut s'attaquer directement aux vers pour tenter de les détruire mais cela ne constitue qu'un palliatif. Seule la normalisation de la fonction hépatique permettra de se débarrasser des vers une fois pour toutes.

Le pyrosis

On croit souvent que l'ulcère à l'estomac existe par lui-même. Or, cela est faux. Il est toujours précédé d'un dérèglement hépatique. Au départ, il y a encombrement du canal digestif. Mais cet encombrement est dû à l'insuffisance de la sécrétion biliaire.

De là découlent des phénomènes connus comme les éructations et les renvois d'un liquide acide et brûlant, ou encore des sensations de brûlure partant de l'estomac et remontant par l'oesophage jusqu'à la gorge.

On voit donc ici à quel point un foie déficient peut avoir des conséquences fâcheuses sur d'autres fonctions organiques. Si donc vous avez des maux d'estomac, pensez plutôt à soigner votre foie. Vous avez plus de chances d'atteindre le mal à sa source.

L'anémie

On sait que les globules rouges s'usent à la longue. Il faut alors les détruire et en élaborer de nouveaux qui remplaceront les premiers. C'est le foie qui est chargé de cette mission. S'il est déficient, il ne pourra remplir adéquatement cette fonction et l'anémie s'installera chez le sujet. Cela peut encore être plus grave. En effet, si le foie fonctionne mal, il pourra s'attaquer à tous les globules rouges indistinctement, les vieux comme les nouveaux, et les détruire. Nous avons alors sur les bras un beau cas d'hémolyse.

La mauvaise digestion

Cela va de soi. Le foie a une telle importance dans le processus de digestion qu'il est bien évident que son dérèglement affectera cette fonction.

La digestion dure de 19 à 30 heures. Or les aliments en digestion sont sous l'influence de la bile de 16 à 27 heures. Si donc la bile est insuffisante ou absente totalement, on peut imaginer qu'une étape importante de la digestion est littéralement sautée avec toutes les conséquences qui peuvent s'ensuivre.

La coli-bacillose

L'intestin est rempli d'une flore abondante et variée : coli-bacilles, bacilles pyocyaniques, bacilles botuliques, d'Ertryck, de Gartner, streptocoques, staphilocoques, protéus, des aérobies et des anaérobies, etc.

C'est à la bile qu'il convient de régulariser ce milieu. En effet, si cette flore est bien équilibrée, elle exerce une activité tout à fait favorable sur le processus terminal de la digestion. Mais qu'un seul de ses constituants prolifère trop et l'équilibre est rompu. Suivent les ennuis. C'est par un reconditionnement de la bile qu'on rétablira la situation.

L'appendicite

Il arrive souvent qu'on se plaigne d'une appendicite alors qu'il s'agit d'une toute autre chose. En effet, dans beaucoup de cas il s'agit de congestion hépatique et un naturopathe qualifié pourra facilement le détecter.

Mais lorsqu'il y a appendicite vraie, il faut encore s'en prendre au foie. Pourquoi ? Tout simplement parce que la région appendiculaire ne peut pas s'enflammer et s'infecter si la bile, qui a des propriétés antiseptiques, est émise régulièrement et en quantité suffisante.

Combien de cas «d'appendice» pourraient être évités si on se préoccupait davantage de la santé de son foie !

L'alcalose

Nous avons vu au début de ce livre que le foie participe grandement à la défense de l'organisme contre toutes les agressions qu'il peut subir.

En vue de leur évacuation, les déchets doivent être transformés en acides. Si la fonction hépatique est troublée, cette transformation ne se produit pas et la réaction du sang est alors trop fortement alcaline. C'est alors tout l'organisme qui se voit surchargé de substances alcalines. Comme le foie ne remplit pas son rôle normal de défense contre les poisons, la maladie frappe encore.

La fatigue des viscères

Si les reins se bloquent, il faut souvent regarder du côté du foie pour en connaître la cause. En effet, si celui-ci transforme mal les déchets azotés en urée, c'est la conséquence qui s'ensuit.

Il arrive d'autre part que c'est le coeur qui ait à souffrir d'une mauvaise condition hépatique. Le coeur peut facilement s'épuiser au pompage d'un sang impur dû à la neutralisation imparfaite par le foie des substances toxiques qui y sont présentes. Les poumons seront également affectés puisqu'ils auront la tâche d'éliminer ces impuretés, alors que ce travail devait s'opérer normalement au niveau des viscères de l'abdomen.

L'obésité ou la maigreur

Il arrive souvent que l'obésité ou la maigreur soient le produit de la même cause.

Le foie produit, retient ou détruit les graisses, selon les besoins. Un dérèglement dans l'accomplissement de ces fonctions a pour conséquence, ou bien de retenir trop de graisses et de ne pas en détruire l'excédent, ou bien de ne pas produire celles dont le corps a normalement besoin.

La frilosité

Un foie surmené doit toujours fournir un effort supplémentaire pour remplir ses fonctions. Ainsi, pendant les premières heures de la digestion, le foie doit déverser de la bile dans l'ampoule de Vater où la rejoindra le suc pancréatique ; le tout doit arriver dans le duodénum en même temps que le bol alimentaire libéré par l'estomac.

Le foie remplit donc cette tâche du mieux qu'il peut. Mais s'il est déficient, il devra négliger d'autres rôles qui sont les siens pour remplir celui-ci. Certaines fonctions seront donc ralenties, comme la circulation sanguine sur laquelle agit le foie.

C'est alors que le sujet souffre d'une frilosité excessive, qu'il a «des fourmis dans les jambes», qu'il peut même avoir des frissons ou ressentir une sensation de froid intérieur.

Aussitôt que la digestion est faite et que le foie peut retourner à ses autres fonctions, ces symptômes disparaissent.

Nous voyons donc ici qu'il faut un foie très fort et en parfaite santé pour accomplir toutes les tâches qui lui sont dévolues et qu'il doit souvent remplir en même temps.

La déminéralisation

Il faut toujours permettre à l'organisme d'utiliser au mieux les aliments normaux, plutôt que de le gaver de surplus alimentaires qui, le plus souvent, ne font qu'aggraver une situation en surmenant le foie.

Il faut que soient faites la transformation parfaite des divers éléments de l'alimentation, leur utilisation et l'élimination des déchets. Le foie a un rôle important à jouer dans ce processus. Mais si les sels biliaires ou les enzymes qui favorisent ce processus ne sont pas sécrétés en quantité suffisante, le travail ne sera pas fait normalement. La dénutrition suivra avec toutes les conséquences qu'elle peut entraîner.

Il faut donc, dans ce cas, reconditionner la fonction hépatique pour lui permettre de jouer un rôle adéquat. Si les aliments sont conformes à la nature, les carences seront alors comblées sans autre intervention.

Le diabète

Le foie fabrique du glycogène. S'il fonctionne normalement, pas de problème. Mais s'il est déficient, il pourra ou bien fabriquer trop de sucre ou bien être dans l'impossibilité d'agir sur celui qui vient de l'intestin.

On trouvera alors du sucre dans les urines en même temps qu'il se trouvera en excès dans le sang.

Les mauvaises évacuations

L'évacuation des déchets organiques peut se faire bien ou mal selon que la bile s'écoule normalement ou non, qu'elle est suffisante ou non, qu'elle est normalement constituée ou non.

Le foie sécrète plus d'une pinte de bile toutes les 24 heures. C'est elle qui lubrifie l'intestin, permettant ainsi l'évacuation normale. Si elle est en mauvais état ou insuffisante, il est à peu près certain que la constipation suivra.

Les toxicoses

Le foie a une influence directe sur le milieu sanguin. Selon qu'il fonctionne bien ou mal, le sang aura, ou non, les propriétés nécessaires pour bien remplir ses fonctions.

Lorsque le foie est déréglé, toutes sortes de situations morbides peuvent se développer dans le milieu sanguin. En voici quelques-une :

L'urémie

Une partie de l'urée n'est pas éliminée et reste dans le sang. Cela est dû à ce que le rein n'a pas trouvé dans le sang les hormones ou les sels biliaires nécessaires à l'accomplissement de toutes ses fonctions.

L'azotémie

Si l'azote est en excédent et que le foie ne parvient pas à transformer cet excédent en urée, il restera dans les humeurs en quantité anormale.

L'acidose

C'est la présence de trop d'éléments acidifiants dans l'alimentation ou les excès alimentaires qui sont à l'origine de l'acidose. Ph sanguin perturbé, taux d'acide trop élevé. C'est le foie qui est chargé de corriger cette situation. Mais s'il est déficient et qu'il s'en révèle incapable, alors l'acidose s'installera en permanence.

L'hypercholestérolémie

On sait que le cholestérol est une substance protectrice nécessaire au bon fonctionnement de l'organisme. On sait d'autre part qu'un taux trop élevé de cholestérol est dangereux. C'est encore le foie qui est chargé de maintenir l'équilibre du cholestérol dans l'organisme. S'il en laisse subsister dans le sang une trop grande quantité, des problèmes s'ensuivront inévitablement. C'est pourquoi il est bien inutile de tenter d'abaisser par des moyens artificiels un taux de cholestérol trop élevé si on n'a pas au préalable rétabli le foie dans ses fonctions normales.

Voilà donc à quoi peut mener le dérèglement du foie. On ne rit plus. Il ne s'agit pas simplement de malaises mais de maladies souvent graves. C'est pourquoi, si vous entretenez le moindre doute quant à la santé de votre foie, consultez immédiatement un naturopathe qui vous indiquera les moyens à prendre pour le remettre en état.

HUITIÈME CHAPITRE

Le dérèglement du foie et ses conséquences indirectes

Nous avons vu dans le chapitre précédent les conséquences directes d'un dérèglement du foie. Nous avons vu à quel point ces conséquences pouvaient être fâcheuses. Mais cela n'est pas tout. Le foie est un organe si important que lorsqu'il se dérègle il peut provoquer des troubles pour de nombreux organes ou de fonctions organiques importantes. Il n'agit plus alors directement et il est parfois difficile de le mettre en cause au premier coup d'oeil mais une évaluation attentive nous y conduira comme à la source même du mal.

Voyons de quoi il s'agit :

L'hypertension artérielle

Une défaillance des fonctions hépatiques, qui entraîne presque inévitablement des dépôts de substances toxiques, aura pour effet de diminuer le diamètre des vaisseaux sanguins ainsi que leur élasticité. C'est une des causes de l'hypertension artérielle.

L'enflure des jambes

La plupart du temps, lorsqu'on constate que les jambes ou les chevilles sont enflées, on en conclut que cela provient d'une défaillance du coeur.

Mais on a vu précédemment qu'il arrivait souvent que le coeur soit surmené à cause d'un dérèglement hépatique. C'est pourquoi, lorsqu'on constate cet état, il faut tout de suite se demander s'il ne faut pas remonter plus loin que le coeur, c'est-à-dire jusqu'au foie, pour savoir si ce n'est pas là que le mal prend sa source.

Les jambes rouges

C'est la présence dans le sang de corpuscules non éliminés au niveau du foie et qui bloquent les capillaires et entraînent la stase sanguine qui fait enfler les jambes. Elles deviennent rouges puis violettes. Il faut alors demander au foie d'épurer convenablement le sang sous peine de voir cette condition se prolonger. Inutile alors de traiter les jambes comme telles, il faut plutôt remonter à la source de la perturbation. Reconditionner le foie, c'est le traitement essentiel qu'il faut entreprendre.

Les végétations et les amygdalites

Quand un organe est déficient, il arrive souvent qu'un autre tente de remplir les fonctions que ce dernier ne peut plus remplir. Il en est ainsi des amygdales qui seront tentées de se substituer au foie si celui-ci se trouve dans l'impossibilité d'assurer la neutralisation des toxines véhiculées par le sang.

Si les amygdales, pour une raison ou pour une autre, cessent de remplir cette tâche, alors nous assisterons au retour des toxines vers le foie et à l'apparition de la jaunisse.

L'hypertrophie des amygdales relève donc souvent d'un dérèglement de la fonction hépatique. En rétablissant celle-ci, on peut souvent éviter l'intervention chirurgicale. Encore faut-il le savoir.

La stérilité et l'impuissance

On sait qu'il existe une interaction étroite entre les sécrétions hépatiques et les sécrétions génitales. Il est donc évident que si le foie fonctionne mal et que ses sécrétions sont anormales et insuffisantes, cela aura un effet direct sur les sécrétions génitales. D'autre part, il faut souligner que la vitamine E est importante pour le bon fonctionnement des organes génitaux. Mais pour exercer toute son activité, cette vitamine a besoin de la bile. Si celle-ci est défaillante de quelque façon, son action sera diminuée d'autant.

La bronchite chronique

Qui dit bronchite dit poumons ; or cela n'est pas aussi simple. Il existe en effet une relation directe entre l'état du foie et la bronchite. Si le foie est congestionné, cela se répercute immédiatement sur les bronches.

Le foie normal émet certaines substances protectrices. Si elles sont insuffisantes ou absentes, nous assistons à la sécrétion supplémentaire des mucosités présentes dans la bronchite. L'organisme, qui se défend toujours d'une manière ou d'une autre, expulsera ces mucosités grâce à la toux.

On voit encore une fois ici que, comme dans nombre d'autres cas, la cause remonte beaucoup plus loin que les symptômes. Si on soigne la bronchite comme telle, on peut sans doute obtenir une amélioration temporaire et partielle, mais si l'on veut vraiment s'en débarrasser, il faut traiter le foie et le remettre en condition.

Les piqûres d'insectes

Il peut sembler étrange de nous voir traiter de ce sujet dans ce chapitre. En effet, direz-vous, que viennent faire les piqûres d'insectes dans un traité sur le foie ?

C'est oublier trop facilement que le foie sécrète des substances protectrices. S'il y a carence de ces substances, le sujet est très porté à se faire piquer par les insectes. Les observations nous permettent de préciser encore davantage. S'il y a suractivité de la glande hépatique, le sujet sera plus réceptif aux piqûres de moustiques. Par contre, s'il y a sous-activité, le sujet sera plus prédisposé aux atteintes par les puces.

Nous ne manquons pas d'insectes chez nous et nous consommons considérablement de produits de toutes sortes qui visent à nous en protéger. Il suffirait pourtant de commencer par le commencement : un foie en bonne santé et qui fonctionne normalement est le meilleur agent protecteur qui soit.

Les troubles de la vue

Il existe un très grand nombre de troubles de la vue qui sont dus à une déficience hépatique.

On sait que l'enveloppe vasculaire de l'oeil, appelée choroïde, doit être très riche en pigments pour absorber convenablement les rayons lumineux ayant impressionné la rétine. Or c'est le foie qui fournit en pigments différents organes et tissus. Il est donc évident que si les pigments sont en nombre insuffisant ou viennent à manquer, la vue en sera affectée de quelque façon.

Mal nourries, les cellules de l'oeil s'atrophient et la conformation de l'organe en subit les conséquences. Les anomalies suivront : myopie, astigmatisme, hypermétrophie. Or, la malnutrition peut découler d'une défaillance hépatique. Insuffisance de sels biliaires, de ferments ou d'autres facteurs indispensables aux diverses opérations de transformation, fixation et neutralisation. L'oeil est alors facilement atteint.

On peut même en soignant un foie déficient, se débarrasser d'une cataracte. Encore faut-il que cette opacité du cristallin ne remonte pas trop loin dans le temps et qu'il existe encore des possibilités d'élimination des substances opacifiantes et de revitalisation des tissus. Mais lorsque cette condition existe, une bonne cure de désintoxication du foie peut faire régresser la cataracte qui, comme on le sait, est une conséquence de l'intoxication.

Ainsi donc, on voit une fois de plus que des troubles du foie se répercutent partout dans l'organisme et qu'on peut éviter nombre de problèmes en tenant son foie en bonne condition.

Les troubles de l'ouïe

Ce que nous venons de dire pour l'oeil peut s'appliquer à peu près intégralement à l'oreille. S'il y a engorgement du foie, la tendance à la congestion générale augmentera considérablement. Le sang s'accumule alors près de certains organes et trouble leur fonction. C'est ce qui peut arriver pour l'oreille. L'intoxication aura également des effets sur l'ouïe.

Sifflements et bourdonnements ont souvent pour cause des troubles de la circulation sanguine ou l'atteinte des os auriculaires par suite de l'intoxication générale.

Encore là, rien de tel que le reconditionnement du foie pour remettre les oreilles en ordre. Mais il est rare pourtant qu'on en viennent à ce diagnostic. C'est que la médecine moderne s'attache beaucoup plus aux symptômes qu'aux causes. On refuse systématiquement de remonter à la source du mal. Pourtant, lorsqu'on le fait, le traitement qui suivra risque d'avoir une bien plus grande efficacité.

La pigmentation de la peau

Lorsqu'elle est exposée au soleil, la peau de la plupart des gens se colore à un rythme moyen jusqu'à ce qu'elle atteigne, au bout d'un certain temps, une profonde couleur bronzée. Mais certaines personnes bronzent trop vite ou à une lenteur anormale. Dans les deux cas, il s'agit de personnes dont le foie fonctionne mal.

Si l'organisme est dévitalisé et si le foie est déficient, c'est ce qui arrive.

Quand la pigmentation est trop lente, c'est que foie est incapable de fournir ce qui lui est demandé. Quand elle est trop rapide, c'est qu'il y a excédent de sels biliaires dans le sang ou alors qu'il existe une trop grande sensibilité aux excitations provoquées par les radiations lumineuses ou calorifiques.

On sait déjà que la pigmentation est une sorte de couche protectrice que se donne l'organisme pour éviter les brûlures. Il est donc important, lorsqu'on s'expose au soleil d'été, d'être bien défendu de ses ardeurs, tout en profitant de ses bienfaits.

C'est pourquoi, lorsque vient l'été, il ne faut pas hésiter à consulter un naturopathe qui verra à ce que votre foie soit en parfait ordre avant d'aller vous exposer à longueur de journée sur les plages. Les crèmes solaires, il faut bien le dire, ne corrigeront jamais une déficience du foie.

L'asthme et le rhume des foins

Il n'y a jamais d'asthme lorsque le foie fonctionne parfaitement. Par contre, tous les asthmatiques souffrent d'une mauvaise condition du foie.

On a avancé toutes sortes de théories sur les allergies. Mais le plus souvent, c'est le désordre hépatique qui en est la cause principale. Dans la plupart des cas, ces affections succèdent à un défaut de sels biliaires et de pigments dans le sang.

La faiblesse des muscles et des tendons

Encore un problème de foie.

Si des vertèbres ou des disques cartilagineux intervertébraux se déplacent, cela est dû au relâchement des muscles et tendons qui les soutiennent. Or, si les muscles et tendons se relâchent, c'est qu'il y a dénutrition ou carence de certaines substances sécrétées par le foie.

On remet en place les vertèbres ou les disques qui se sont déplacés, mais on oublie encore là, trop souvent de remonter à la source du problème. Seule la reprise des fonctions hépatiques normales peut remédier à la cause véritable de ce relâchement. Elle doit nécessairement accompagner la remise en place des vertèbres si on ne veut pas que le cas se reproduise.

Les pieds plats

Nous avons affaire ici au même phénomène que dans le cas précédent. C'est parce que les muscles et les tendons sont affaiblis que la voûte plantaire s'affaisse.

Inutile de recourir aux accessoires orthopédiques. En reconditionnant le foie, les mucles et les tendons retrouveront leur fermeté et soutiendront, comme c'est normal qu'ils le fassent, la voûte plantaire dans sa position normale.

L'hémophilie et la tendance aux hémorragies

Si on a une prédisposition anormale aux hémorragies, c'est souvent à cause de la carence en facteurs antihémorragiques. La vitamine K est un de ces facteurs importants. Or, elle n'est vraiment active qu'en présence de la bile. Si le foie la produit en quantité insuffisante ou si elle est affectée de quelque façon, la vitamine K ne pourra pas jouer son rôle normal.

Le sang doit pouvoir se coaguler normalement. C'est la fibrinogène qui favorise la coagulation et cette substance est formée par le foie. La diminution ou carence de fibrinogène peut entraîner l'hémophilie.

Le sang a énormément besoin du foie pour garder sa normalité. Que ce dernier vienne à défaillir et on verra apparaître dans le sang toutes sortes d'affections qui lui sont liées directement.

Le coryza et la sinusite

On a vu, en étudiant le cas des bronchites chroniques, que le foie avait un rôle à jouer dans le fonctionnement des voies respiratoires supérieures.

Pourtant, malgré ce que nous en savons déjà, nous avons toujours tendance à attribuer au froid les cas de sinusite ou de rhume de cerveau.

C'est en effet lorsque le foie est débordé et qu'il laisse filtrer des toxines dans l'organisme que celui-ci tentera de s'en débarrasser par d'autres moyens. Le rhume de cerveau suit presque toujours les écarts alimentaires.

Il en va de même dans le cas des thinites. C'est parce que le foie déficient n'assure pas un drainage convenable de l'organisme que des éliminations de substitution peuvent survenir dans le nez ou dans l'arrière-gorge.

Les gouttes dans le nez ne régleront pas vos problèmes de sinusite ou de rhume de cerveau. Remettez plutôt votre foie en ordre et vous verrez ceux-ci disparaître. Bien plus, un foie bien portant vous protégera contre de nouvelles attaques de ces maladies si désagréables.

La cellulite

On a attribué toutes sortes de causes à la cellulite. Pourtant, dans ce cas comme dans les autres que nous avons étudiés, il faut encore remonter au foie pour en trouver la véritable cause.

C'est l'intoxication de l'organisme qui amène la cellulite. En effet, si celui-ci est incapable d'éliminer complètement les déchets et les poisons, ceux-ci se répandront dans le sang et attaqueront bientôt la cellule.

Il faut donc que les fonctions d'élimination soient rétablies si l'on veut pouvoir corriger un cas de cellulite. On connaît le rôle que joue le foie dans ces fonctions. Ce n'est donc qu'en le remettant en condition de fonctionner parfaitement qu'on pourra s'attaquer à la véritable cause de la cellulite.

Les hémorroïdes et les varices

On a souvent observé que l'amélioration des fonctions hépatiques provoque la régression des varices ou des hémorroïdes.

S'il y a déficience des fonction endocriniennes du foie, l'absence de certaines hormones provoquera un relâchement de la paroi des veines, aggravé par la présence de toxines dans le sang, qui viennent s'accumuler vers ces endroits affaiblis.

S'il n'est pas certain qu'un foie en parfait état empêche toujours l'apparition de ces maladies, on peut affirmer que dans la plupart des cas, l'engorgement du foie en sera souvent la cause plus ou moins directe.

L'hypertension portale

L'hypertension portale est une autre cause d'hémorroïdes. Or cette hypertension est directement liée au fonctionnement du foie.

La veine porte va de l'intestin au foie. Lorsque le foie est obstrué, la tension sanguine augmente dans cette veine. Les hémorroïdes, dans ce cas, se comportent comme des soupapes de sûreté. Leurs suintements peuvent contribuer à éviter la rupture d'une varice oesophagienne.

C'est pourquoi il peut être dangereux de tenter de les traiter directement. Il vaut mieux encore une fois remonter à la source du mal : le foie.

Les conséquences de l'hypertension portale sont les suivantes : augmentation du volume de la rate, rétention d'eau dans les tissus et de gaz dans tout l'abdomen. Le foie augmente de volume.

Si la médecine moderne a trop tendance à soigner un mal localisé, on verra que le naturopathe pour sa part tentera toujours de remonter aux causes les plus profondes du mal. C'est là que le véritable traitement se situe. C'est pourquoi, encore une fois, vous ne devez pas hésiter à recourir aux services de celui-ci si vous avec quelque mal persistant dont vous n'arrivez pas à vous débarrasser.

L'artériosclérose

La paroi interne des vaisseaux se recouvre progressivement d'une bouillie toxique. C'est l'encrassement par les excédents de graisses et de cholestérol. Il se formera bientôt des plaques solides qui rétréciront les vaisseaux et qui durciront la paroi.

Les vaisseaux deviennent alors très fragiles et on risque de les voir se rompre à n'importe quel moment. Il peut aussi se former un caillot à cause de la diminution du diamètre interne du vaisseau. Le sang, presque toujours épaissi dans ces cas, aura de la difficulté à circuler normalement et le caillot surgira soudainement. C'est la trombose ou l'infarctus du myocarde.

Quand le coeur est atteint, les médecins traitent le coeur. Or un diagnostic vrai pourrait démontrer que, dans presque tous ces cas, c'est le foie qui est le vrai coupable. On sait le rôle qu'il joue dans la genèse du cholestérol, dans la transformation des graisses, ainsi que dans la neutralisation et l'élimination des excédents et résidus.

C'est donc un renormalisant la fonction hépatique qu'on a le plus de chances de voir régresser l'artériosclérose et les maladies du coeur qui font tant de victimes.

Les rhumatismes

Il arrive souvent qu'on traite les rhumatismes avec des remèdes dangereux pour le foie, alors que, dans de nombreux cas, c'est la déficience de celui-ci qui est à l'origine. On ne fait donc ainsi qu'aggraver le mal qu'on prétendait soigner.

C'est souvent la carence de pigments et de sels biliaires dans le sang qui provoque l'apparition de rhumatismes.

Nous assistons alors au même phénomène que dans les cas de rhume des foins et d'asthme.

Le rein flottant

Il s'agit peut-être d'une simple coïncidence, mais remarquons que c'est presque toujour le rein droit, qui se trouve sous le foie, qui a une tendance à la ptose. Il faudrait sans doute étudier ce cas plus avant.

Le déséquilibre glandulaire

Il arrive parfois qu'un homme se féminise physiquement ou qu'une femme se masculinise. Le foie est encore coupable.

C'est qu'il sécrète des hormones et qu'il en neutralise d'autres. S'il y a cirrhose, cette fonction est ralentie et l'oestrogène s'accumule assez pour produire des effets féminisants sur les sujets mâles.

Si d'autre part il y a destruction massive de folliculine chez la femme, des effets masculinisants apparaîtront.

La psychasténie

Si le foie transforme imparfaitement les albumines, cette déficience peut provoquer la formation de poisons qui, se déversant dans le sang, donneront lieu à des troubles humoraux se répercutant sur le système sympathique et provoquant des troubles fonctionnels et parfois même des lésions.

Le foie agit de même sur les glandes endocrines. Il n'est pas surprenant alors que de nombreux cas de psychasténie, de neurasthénie, d'instabilité ou autres névroses aient leur source dans un dérèglement de la fonction hépatique. La médecine psychosomatique devrait s'attacher davantage à étudier ces cas particuliers.

Faut-il encore souligner, après ce chapitre, l'importance que prend le foie dans le bon ou le mauvais fonctionnement de l'organisme. Il semble, en effet, que le foie ait des attaches directes ou indirectes avec toutes les parties du corps humain. S'il est troublé de quelque façon, on peut être à peu près sûr de voir apparaître un dérèglement d'un autre organe ou d'une autre fonction.

Si vous négligez de le tenir en bonne condition, vous pouvez être sûr qu'il vous le fera payer cher d'une façon ou d'une autre.

NEUVIÈME CHAPITRE

Comment traiter le foie

Nous verrons un peu plus loin comment il est nécessaire de réformer son alimentation si on veut revitaliser la fonction hépatique. Nous verrons alors ce qu'il faut manger et de quoi il faut s'abstenir. Mais auparavant, nous verrons quelques traitements que l'on peut appliquer au foie malade

Si votre foie est déficient, engorgé ou dégénéré, vous ressentirez sans aucun doute des douleurs dans cette région, vous souffrirez également de coliques et de ballonnements.

Dans ce cas, la première chose à faire est de consulter un naturopathe qualifié. Ne vous lancez pas à l'aveuglette dans un traitement personnel qui, souvent, pourrait vous faire plus de tort que de bien.

Seul le naturopathe saura établir une évaluation précise et vous conseiller le traitement naturel approprié. Il est à peu près certain qu'il vous recommandera d'abord de modifier votre régime alimentaire, qui fut sans doute à l'origine de vos maux. Puis il vous recommandera quelque traitement particulier.

Nous allons maintenant décrire quelques-uns de ces traitements.

Le cataplasme d'argile

Dans ce cas, on peut presque parler de pré-traitement. Il s'agit en effet de conditionner le foie et la région qui l'entoure immédiatement pour qu'il soit en état de réceptivité.

Il faut d'abord préparer le cataplasme d'argile. Pour ce faire, on commence d'abord par faire sécher l'argile. C'est au soleil qu'elle séchera le mieux, mais on peut également le faire dans un endroit chaud et aéré.

Une foie séchée, on la concasse, et on la met dans un récipient. Celui-ci ne doit pas être en métal nu ou en matière plastique. On la laisse ensuite reposer quelques heures après l'avoir couverte d'eau froide.

Au bout de quelque temps, l'argile mêlée à l'eau se changera en une sorte de boue. Si celle-ci est trop claire, il suffit d'ajouter un peu d'argile pour obtenir la consistance voulue.

On prend alors une serviette et on y étend à peu près un demi-pouce d'argile. On peut alors faire une application. L'argile doit entrer en contact direct avec la peau et, selon qu'on a affaire à un mal plus ou moins coriace, on maintiendra le cataplasme en place de une à trois heures.

Après avoir enlevé le cataplasme, on lave la région traitée avec de l'eau tiède ou de l'eau froide.

Il faut se souvenir que l'argile ne peut pas servir une autre fois et qu'il faut la jeter immédiatement.

La plupart du temps, le cataplasme d'argile sera froid. Mais il peut arriver qu'on ait intérêt à faire un cataplasme chaud, ou tiède, particulièrement si on doit l'appliquer sur le foie. Il suffit alors de placer le cataplasme pendant quelque temps sur un radiateur jusqu'à ce qu'il ait atteint la température voulue.

Si, à l'application, le cataplasme ne provoque aucune sensation désagréable et si la douleur ou l'énervement n'augmente pas, on pourra laisser le cataplasme en place toute la nuit.

Il arrive parfois qu'il faille habituer l'organisme à l'argile. On utilise alors des cataplasmes très minces pendant pas plus d'une heure et demie.

Dans le cas de calculs biliaires, on peut s'attendre à ce que le traitement dure plusieurs mois. On utilise alors les cataplasmes quotidiennement, trois semaines par mois. Dans la plupart des cas, l'argile contribuera à la reconstitution des réserves vitales, mais il peut parfois arriver qu'il ait un effet contraire et qu'il amène une légère faiblesse. On n'a qu'à interrompre le traitement pendant quelque temps pour le reprendre ensuite.

Si tout va vraiment bien et qu'on a le temps de le faire, on peut intensifier le traitement en appliquant deux ou trois cataplasmes toutes les vingt-quatre heures.

Les cures thermales

Il est connu que certaines eaux de source peuvent améliorer considérablement le fonctionnement du foie. Ajoutons cependant qu'elles ne constituent pas des remèdes « miracle ». Si on néglige son foie à l'année longue, ce ne sont pas quelques jours de cure thermale qui règleront tous les problèmes hépatiques.

Précisons qu'avant de commencer une cure thermale, il est toujours indiqué de consulter un naturopathe qualifié qui saura vous conseiller adéquatement.

Voyons d'abord quelles sont les eaux qu'on peut utiliser avec le plus d'espoir d'efficacité :

Pour décongestionner le foie et la vésicule biliaire, on peut recommander principalement les eaux sulfatées calciques et magnésiennes de Vittel-Hépar, ou Contrexéville. Elles sont bénéfiques à ceux qui sont à la fois hépatiques et hypertendus. Sauront en profiter également les artérioscléreux ou les personnes âgées ou déprimées.

Il ne faut pas oublier l'eau d'Evian et l'eau Aqua-Vita, hypominéralisées. Comme elles sont pauvres en sels minéraux, elles débarrassent plus facilement l'organisme de ses déchets. Inutile de rappeler que ces eaux peuvent se boire tous les jours pour remplacer l'eau du robinet.

L'alimentation

Nous ne répéterons jamais assez que le dérèglement du foie ne se corrige pas en un jour. De mauvaises habitudes ou un mauvais régime alimentaire créent une condition organique malsaine qu'il faudra parfois des mois, voire des années, pour corriger.

La cure ne remplacera jamais la vie saine qui permettra à tous les organes de fonctionner parfaitement. C'est à ce niveau qu'il faut d'abord attaquer le problème si on veut véritablement remonter à la cause du mal et obtenir quelque chance de guérison permanente.

Dans tous les cas, la première chose à faire est d'améliorer le régime alimentaire. Il ne faut pas le faire tout d'un coup. En effet, l'organisme est plus ou moins conditionné aux mauvaises habitudes alimentaires et un changement trop brusque pourrait provoquer d'autres dérèglements. Il faut donc corriger progressivement son régime alimentaire.

Il faut pourtant, du jour au lendemain, éliminer brusquement certains aliments très nocifs : l'alcool, les graisses animales, les conserves.

Puis, le plus rapidement possible, on essaiera de manger des légumes crus. Ceux-ci en effet, gardent toutes leurs propriétés tandis qu'ils perdent leur valeur minérale et vitaminique si on les fait cuire. Encore là il faut y aller progressivement, car si les intestins sont irrités, ils peuvent le devenir davantage par l'ingestion d'aliments crus. Mais aussitôt que leur condition se sera améliorée, ils les supporteront aisément. Les jus de fruits et de légumes sont tout indiqués pour arriver à ce résultat. Le jus de carottes est sans doute le plus utile à tous les points de vue. En fluidifiant la bile, il favorise la sécrétion hépatique. On en prendra donc chaque matin avant le déjeuner et si possible aussi avant chaque autre repas. On peut à l'occasion le remplacer par du jus de fraise ou de raisin.

Si vous êtes habitué à manger le pain blanc commercial, vous aurez peut-être un peu de mal à digérer le pain naturel et intégral, du moins au début. Il faut alors commencer en consommant du pain complet à 85% ou alors des biscottes complètes.

Si on doit cuire les légumes, ne pas oublier qu'il vaut toujours mieux les cuire dans une très faible quantité d'eau ou de préférence à la vapeur.

Il faut se souvenir également que si on mange des fruits il vaut toujours mieux les manger en début de repas.

Pour terminer, on mangera un fromage ou un yogourt.

On a déjà parlé des cataplasmes d'argile. Mais on peut noter qu'il est également possible de l'ingurgiter et d'en obtenir des effets bénéfiques. On prend de l'argile blanche à jeun, le matin, à raison d'une cuillère à thé dans un demi-verre d'eau, une fois par jour. On fait cela pendant trois semaines puis on arrête pendant une semaine. Au bout de deux ou trois mois de cette pratique, on n'en prendra plus qu'une semaine sur deux.

Un fait important à souligner : l'eau, l'air, le soleil, sont les éléments essentiels d'une bonne santé. Il ne faut donc pas hésiter à en profiter le plus possible.

On recommande souvent aux hépatiques d'éliminer complètement la viande de leur régime. Or, si cela a de la valeur dans certains climats, chez nous, au Québec, on peut manger un repas de protéines animales par jour. Notre climat est si rigoureux qu'agir autrement pourrait amener des complications qu'on ne connaîtrait pas sous des cieux plus cléments.

Je vous ai déjà proposé, dans *Le guide de l'alimentation naturelle* un menu idéal qu'il est sans doute bon de rappeler ici. Si vous vous y conformez, il est certain que vous remarquerez une nette amélioration de votre santé en un temps relativement court.

MENU

DÉJEUNER :

Au lever, 2 c. à thé de miel naturel.
MANGEZ SURTOUT DES FRUITS FRAIS ET MURS.

Par exemple :
Bananes, pommes, poires, pêches, prunes, cerises, nectarines, ananas, grenades, mandarines, fraises, framboises, bleuets, melons, raisins frais : rouges, jaunes, verts, bleus ou canneberges, groseilles, etc.

JUS DE FRUITS :

Préparés à l'extracteur, ou jus de fruits vendus dans les magasins d'aliments naturels : pomme, prune, raisin, framboise, fraise, cassis, mûre, abricot, canneberge, cerise noire, grenade, groseille, ronce, etc.

À moins de contre-indication : 2 ou 3 oranges par semaine (sans la pelure mais avez la pulpe, pas le jus seulement).

AJOUTER :

Yogourt nature. Fromage cottage maigre en bonne quantité.

Vous pouvez aussi manger pour déjeuner l'un ou l'autre des menus suivants :

a) Fruits sucrés, séchés ou trempés : abricots, figues, dattes, bananes, pêches, poires, pommes, pruneaux, raisins. Gelées ou compotes de fruits (peu sucrées au sucre naturel).

b) Noix naturelles (petite quantité: amande, noisette, pignon, noix du Brésil, pacane, aveline, gland, noix de Grenoble, graines de sésame, tournesol, citrouille.

c) 2 rôties de pain entier avec beurre naturiste ou beurre ordinaire au choix (sauf si contre-indication pour ce dernier).

d) Céréale naturiste sans sucre. Y ajouter fruits frais coupés en petits morceaux avec lait naturiste écrémé en poudre ou lait de soya.

e) Un ou deux oeufs cuits à votre goût mais sans friture, avec une ou deux rôties de pain entier et beurre naturiste ou beurre ordinaire au choix (sauf si contre-indication pour ce dernier). Pas plus de quatre oeufs par semaine.

BOISSON ACCOMPAGNANT
VOTRE DÉJEUNER :

a) Tisane (celle qui vous est recommandée ou au choix).

b) Café naturiste.

c) Verre de lait de soya ou poudre de caroube. Si permis : lait naturiste ou en poudre.

DÎNER :

15 minutes avant le repas : JUS DE LÉGUMES FRAIS.

Par exemple :

Carottes (3 oz.), céleri (2 oz.), pomme (1 oz.)
Carottes, céleri, chou.
Carottes, céleri, piment vert.
Tout autre jus de légumes au choix (sauf épinards).
Bien insaliver et boire lentement.

MANGEZ DE LA VIANDE SAINE OU DU POISSON FRAIS OU CONGELÉ, BOUILLI OU AU FOUR.

Aiglefin, éperlan, flétan, hareng, homard, maquereau, morue, saumon, sole, thon, truite, etc.

Steak grillé, au four, braisé, sans beurre ni margarine ou huile, mais saignant.

Rôti de boeuf dégraissé, ou boeuf dégraissé, sous toutes ses formes (rosbif saignant, boeuf bouilli, etc.)

Côtelette ou gigot d'agneau dégraissé.

Dinde dégraissée. Ne pas manger la peau. Pas de poulet Bar-B-Q.

Veau dégraissé ou côtelettes.

Mouton dégraissé, lièvre dégraissé ou protéines végétales équilibrées.

Jamais de porc, jambon, saucisse, boudin, charcuterie, abats.

NE PAS CONSOMMER DE SAUCE NI DE GRAS PROVENANT D'ANIMAUX OU VIANDES FRITES.

Accompagnez la viande et le poisson d'une bonne SALADE DE LÉGUMES CRUS au choix : laitue (vert foncé), cresson, tomate, concombre (sans pelure), céleri, persil, radis, pissenlit, chicorée, fenouil, etc. Assaisonner d'huile naturelle, vinaigre de cidre (peu), sel végétal ou sel de mer et aromates : laurier, sauge, thym, menthe, sarriette, etc.

Si désiré parfois : légumes peu cuits et huile naturelle. Si bien toléré, on peut manger une ou deux tranches de pain naturel avec le repas de viande.

DESSERT :

Fruits frais, en particulier une pomme.
Compote de fruits (peu de sucre naturel).
Gélatine naturiste faite avec du jus de fruits et agar-agar.
Brioches, gâteaux ou muffins naturistes.
Tapioca naturiste, etc.
Tisane recommandée ou au choix ou café naturiste.

SOUPER :

15 minutes avant le repas : JUS DE LÉGUMES FRAIS. Si désiré :

Soupe-maison dégraissée, légumes croquants. Potage ou bouillon. Au moment de servir, on peut ajouter de l'huile naturelle.

MANGEZ SURTOUT DES SALADES DE LÉGUMES CRUS.

Utilisez des légumes frais et de saison : laitue, carottes, céleri, tomates, concombre, persil, cresson, chou, olives noires, maïs frais, radis, ciboulette, piment vert, avocats, etc., avec de l'huile naturelle.

Si désiré et quelquefois par semaine :

Légumes variés très peu cuits à la vapeur ou purée de légumes au choix.

Pommes de terre au four avec pelure.

Carottes, betteraves, aubergine, piment vert, oignon, céleri, fèves, asperges, chou-fleur, navet, brocoli, escarole, choux de Bruxelles, artichaut, panais, pois verts, courge, endives, persils, poireau, haricots.

Au moment de servir : sel végétal, sel de mer, aromates et huile vierge.

VARIER SOUVENT LA COMPOSITION DE VOS SALADES ou plats de légumes. Avec votre salade vous pourrez consommer :

1 ou 2 tranches de pain naturel (ou rôties avec beurre de noix naturelles : sésame, grenoble, amande, noix du Brésil, de Grenoble, noisette, pignon, pacane, aveline, etc. ou beurre habituel si non contre-indiqué.

Vous pouvez aussi manger pour souper l'un ou l'autre des menus suivants :

a) Servez un plat de riz brun (naturel) : basconnaise, etc., orge, millet.

b) ou un plat de fèves de soya, de fèves de lima, de lentilles avec fines herbes, oignon, persil, et huile naturelle au moment de servir.

c) ou pâtes alimentaires naturelles au four et huile au moment de servir.

Pâtes de soya, sarrasin, blé, artichaut, macaroni, nouilles, spaghetti, vermicelle, etc.

DESSERT :

Fruit nature, purée de fruits, compote ou salade de fruits frais.

Ou gélatine-maison, brioche, ou gâteaux naturistes, muffins (farine et ingrédients naturels).

Tisane recommandée ou au choix, ou café naturiste.

DANS LA SOIRÉE :

Tisane recommandée.

AU COUCHER :

2 c. à thé de miel recommandé, bien insalivé.

OU

2 c. à thé de mélasse de Barbade dans une tasse d'eau chaude. Bien insaliver.

L'alimentation saine

En fait, une alimentation saine ne limite pas ses bienfaits à la santé du foie. Elle est la condition même de la santé de tout l'organisme.

Nous vous avons donné dans les pages précédentes le régime idéal. Mais voici quelques autres conseils concernant votre alimentation :

Facilitez votre digestion en mangeant à des heures régulières.

Évitez les aliments trop lourds.

Faites une petite sieste après les repas, si vous le pouvez.

Mastiquez à fond vos aliments, surtout les farineux.

Ne mangez jamais de façon hâtive.

Prenez votre repas dans une atmosphère agréable : préparez une belle table avec une nappe colorée.

Buvez des jus de fruits et de légumes frais.

Préparez-les vous-même avec votre extracteur à jus.

Buvez-les lentement en les insalivant.

Remplacez le thé et le café par des tisanes et des substituts naturistes de thé et café.

Consommez du miel naturel que vous trouverez dans les magasins d'aliments naturels.

Prenez votre miel au lever et au coucher.

Mangez des viandes saines et dégraissées : poisson, boeuf, agneau, veau.

Vos viandes doivent être grillées, bouillies ou cuites au four.

Évitez toutes les formes de fritures.

Évitez le poulet Bar-B-Q, le porc, le jambon, la saucisse, le boudin, les charcuteries, les sauces.

Prenez un seul repas de viande par jour.

Vous devez modifier progressivement vos habitudes de vie.

Prenez l'habitude de vous coucher tôt ; il est préférable de se mettre au lit vers 10 heures.

Détendez-vous souvent dans la journée.

Travaillez calmement, sans excitation.

Évitez de vous adonner à des choses futiles.

Respirez de l'air pur le plus souvent possible.

Éloignez-vous des grandes villes et oxygénez-vous complètement.

Faites des exercices de respiration profonde.

Dormez la fenêtre ouverte.

Évitez de fumer : évitez aussi les atmosphères enfumées.

Prenez des bains de soleil durant la saison chaude.

Procédez graduellement.

Laissez le soleil pénétrer dans les pièces de votre logis.

Adoptez une attitude positive devant la vie.

Soyez optimiste ; oubliez vos soucis.

Modérez vos activités sexuelles.

Faites des exercices physiques adaptés à vos besoins.

Pratiquez un sport qui convient à votre cas personnel.

Remplacez les aliments ordinaires par des aliments naturels.

REMPLACEZ CECI	PAR CELA
Soupes en boîtes ordinaires	Jus de légumes frais ou soupes-maison dégraissées.
Légumes en conserves	Légumes de saison, frais et crus.
Jus de fruits en boîtes	Jus frais préparés à l'aide d'un extracteur, ou jus en bouteille vendus dans les magasins d'aliments naturels.
Fruits en conserves ordinaires	Fruits frais de saison.
Fruits séchés ordinaires	Fruits séchés naturistes, non sulfurés ou chimifiés d'une façon ou d'une autre.
Noix ordinaires	Noix naturistes, non salées.
Pain blanc ou brun ordinaire	Pain naturiste.
Céréales du commerce	Céréales naturistes.
Farines et pâtes alimentaires ordinaires	Farines et pâtes alimentaires naturistes (macaronis, spaghettis, et nouilles naturistes).
Gâteaux, biscuits, tartes ordinaires	A l'occasion, pâtisseries naturistes faites d'ingrédients sains.
Sucre blanc, cassonade ordinaire	Sucre brut naturiste, sucre Turbinado
Confitures, mélasse ordinaire	Confitures naturistes ; mélasse de la Barbade.
Miel ordinaire	Miel non pasteurisé produit par des abeilles saines nourries avec leur miel.

Margarine ordinaire	Beurre végétal naturiste, beurre de lécithine, beurre de soya, beurre de noix.
Huiles ordinaires	Huiles naturelles de première pression à froid, non hydrogénées, non colorées ; il faut éviter de faire chauffer ces huiles, car alors elles deviennent nocives.
Mayonnaise ordinaire	Mayonnaise naturiste.
Fromage ordinaire	Fromage cottage maigre ; fromage gruyère en meule et non en pointes.
Yogourt ordinaire	Yogourt maigre. On peut le sucrer au miel.
Thé et café ordinaires	Tisanes, thé et café naturistes.
Sel ordinaire	Sel de mer ou sel végétal.
Épices et assaisonnements ordinaires	Aromates, condiments et assaisonnements naturistes.
Vinaigre ordinaire	Vinaigre de cidre naturiste.
Gélatines ordinaires	Agar-agar, gélatine d'algues marines.

L'alimentation naturelle et le respect des lois de la nature sont les bases d'une santé parfaite.

Soulignons que les compositions d'herbages sont des médications naturelles sûres et non toxiques. C'est pourquoi les tisanes jouent un rôle extrêmement important dans l'alimentation naturelle. Vous pouvez bien sûr cultiver vos propres herbes de santé mais si vous ne le pouvez pas, vous trouverez d'excellentes préparations de tisanes contre les problèmes hépatiques dans les magasins d'aliments de santé. Il en existe plusieurs excellentes marques. Vous y trouverez également des produits des extraits fluidiques qui tous peuvent aider considérablement à la solution des problèmes hépatiques.

Mais attention. Je souligne encore une fois que l'automédication est à déconseiller fortement. Il est dangereux de la pratiquer. Vous pouvez en effet vous tromper dans le médicament ou dans la dose que vous vous prescrivez. C'est pourquoi, si vous sentez que votre foie est déréglé, il vous faut consulter immédiatement un naturopathe qualifié. Il saura vous conseiller de façon précise et vous vous éviterez ainsi toutes sortes d'ennuis qui pourraient être plus graves que le dérèglement que vous tentez de corriger.

Il faut souligner encore ici un aspect de l'alimentation des Québécois qui est de nature à nuire à leur santé et dont, la plupart du temps, nous ne sommes pas assez conscients. En effet, nous sommes de très gros consommateurs de fritures. Or celles-ci sont la cause de nombreux problèmes hépatiques et c'est sans doute une des raisons pour lesquelles les maladies du foie sont si courantes chez nous. D'autre part, notre climat nous porte à faire une énorme consommation de lipides qui sont une cause directe de l'engorgement du foie.

Il faut donc à tout prix corriger cette mauvaise alimentation.

La solution ? Elle reste toujours la même : les aliments naturels. Considérons qu'il ne s'agit pas là d'un caprice mais bien d'une nécessité si nous voulons que notre organisme fonctionne de façon équilibrée. Les aliments chimifiés, les graisses, les huiles traitées, etc., amènent toutes sortes de dérèglements qu'il devient de plus en plus difficile de corriger à mesure que nous avançons en âge.

Il vaut donc mieux prévenir le mal dès maintenant en se donnant des méthodes de santé naturelles.

DIXIÈME CHAPITRE

Quelques conseils supplémentaires

Il est essentiel de ne pas attendre que la maladie frappe pour finalement se préoccuper de sa santé.

Il est d'autre part indispensable de recourir à des moyens *naturels* pour se maintenir en santé ou pour la récupérer le cas échéant.

En effet, la médecine moderne se contente beaucoup trop souvent de ne s'attaquer qu'aux symptômes de la maladie plutôt qu'à ses véritables causes. Ainsi, lorsque apparaît la douleur, on s'empressera de prescrire un sédatif qui tentera de la réduire ou de l'éliminer. Mais la cause du mal n'est pas disparue pour autant. Non seulement existe-t-elle encore, mais le remède lui-même peut empêcher l'organisme de se défendre contre la maladie.

Citons un auteur connu, dont la compétence dans le domaine ne fait pas de doute :

« La maladie indiquant un effort de l'organisme pour se libérer des poisons accumulés, ou encore l'aberration de certains organes (foie notamment) rendus incapables, du fait de l'intoxication, de synthétiser les éléments utiles ou de neutraliser les inutiles et les nocifs, il est bien compréhensible que le retour à une situation normale n'est pas le fait d'introduire une substance chimique dans l'organisme, mais d'évacuer d'abord ce qui est en surcroît. »

« Une crise peut donc survenir, alors que l'organisme a récupéré en partie ses réserves vitales. Elle n'implique nullement une aggravation ou une stagnation de l'état, mais est l'indice d'un effort curatif du corps qui tente de chasser les toxines et de remettre en état les organes défaillants. »

« D'ailleurs, celui qui a un foie en meilleur état doit immédiatement ressentir, à son niveau, toute infraction à l'ordre naturel, notamment en matière d'alimentation. Toute incartade alimentaire appelle une réaction du foie sain. »

« Nombreux sont ceux qui n'ont jamais remarqué aucun trouble, ni ressenti aucune douleur, jusqu'au jour où apparaît le délabrement complet du foie. D'un cancéreux, d'un cirrhotique, on dira que, jusque-là, il était en parfaite santé, parce qu'il n'avait jamais rien enregistré d'anormal. Quelle grave erreur ! Un fumeur, intoxiqué par le tabac, ne réagit pas plus devant la cigarette que l'alcoolique devant le verre d'alcool. Serait-ce là des indices que ces produits ne sont pas nocifs ? En réalité, toute substance toxique, à quelque dose que ce soit, ne peut être acceptée par un organisme vraiment normal. »

« La plupart des hépatiques ont le foie tellement encrassé ou engourdi qu'il est dans l'incapacité de réagir. C'est alors l'accumulation des substances toxiques aboutissant à la catastrophe. Il est ainsi bien tard pour intervenir efficacement, les réserves vitales étant épuisées. »

Voilà qui est clair.

L'organisme humain est une mécanique complexe, hautement spécialisée, et qui peut fonctionner admirablement bien pendant des années à condition que nous lui en donnions la chance.

Mais nous n'avons pas encore tout dit. Le foie a tellement d'importance dans le bon fonctionnement de notre organisme que nous croyons nécessaire de pousser plus avant cette analyse. Ainsi vous pourrez parfaitement comprendre son fonctionnement et la manière de bien le traiter pour qu'il ne se dérègle pas.

La respiration

La respiration est une fonction machinale qu'on pratique le plus souvent sans s'en apercevoir. Pourtant il est une bonne et une mauvaise manière de respirer et la respiration correcte entraîne des bienfaits considérables pour l'organisme en général et pour le foie en particulier.

En effet, le foie peut tirer grand bénéfice d'une fonction plus active du système portal. Or l'exercice amène une meilleure respiration presque automatiquement, ce qui permet d'écarter les troubles circulatoires tout en améliorant les fonctions du système portal. C'est pourquoi nous ne saurions trop recommander les promenades en plein air ou les sports qui forcent l'appareil respiratoire à un meilleur rendement. Par contre, le sédentarisme ne peut être que néfaste.

Il est un grand nombre de conditions morbides qu'on peut améliorer par une respiration profonde et juste. Est-ce qu'on sait qu'un asthmatique peut voir son mal diminuer considérablement s'il apprend à respirer correctement ? Il en va de même pour l'angineux. Une bonne respiration pourra par ailleurs faire disparaître congestion et inflammation. Le foie et le pancréas en sont également atteints dans le bon sens.

Il peut être dangereux de respirer par la bouche par grand froid ou par grande chaleur. En effet, c'est le nez qui tempère l'air que nous respirons. C'est donc par le nez que nous devons principalement respirer si nous ne voulons pas nous attirer des désagréments inutiles.

En général, nous respirons fort mal et nous oublions que cette fonction doit s'exercer au niveau de la paroi abdominale. Nous n'y sommes pas habitués, bien sûr, mais si nous la pratiquons de façon continue, nous nous apercevrons au bout de quelque temps que nous pouvons le faire inconsciemment et sans malaise. Il faut pousser le ventre en avant au moment où nous prenons une inspiration profonde. Au moment de l'expiration, qui doit se faire lentement, il faut alors s'efforcer de rentrer le ventre autant qu'il est possible.

Il faut donc se souvenir de ces deux impératifs : respirer par le nez et apprendre à respirer profondément en activant la paroi abdominale. Non seulement cette respiration permet-elle à l'organisme de s'équilibrer mais elle a également un autre effet, psychique celui-là. En effet, la respiration profonde provoque presque automatiquement le calme de l'esprit. Elle permet d'éviter les tensions inutiles qui sont source de toutes sortes de maux psychosomatiques.

Il faut souligner encore une fois que l'organisme possède tous les instruments nécessaires à son bon fonctionnement. Encore faut-il les utiliser à bon escient.

Le sommeil

Combien de gens nous disent tous les jours qu'ils n'ont pas besoin de sommeil ou qu'alors ils peuvent se permettre de passer plusieurs nuits blanches d'affilée sans en être autrement incommodés.

Cela est faux. Malgré les apparences, le manque de sommeil ou le sommeil agité peuvent avoir des conséquences fort malheureuses sur le fonctionnement de l'organisme.

On n'a pas encore réussi à expliquer le sommeil de façon satisfaisante mais on sait pourtant qu'il a une fonction réparatrice importante.

Il a pour effet notamment de permettre à l'esprit de se reposer. Sur le plan strictement organique, il permet à un certain nombre de cellules de se reposer pendant que d'autres continuent leur travail de nettoyage et de remise en ordre. De sorte qu'au sortir du sommeil, la machine est prête à fonctionner de nouveau normalement.

Lorsque nous sommes reposés nous travaillons mieux. Chacun a pu le constater. Lorsque nous sommes surmenés, l'esprit et le corps s'en ressentent immédiatement et ils sont forcés de fonctionner avec des capacités diminuées.

Le foie n'échappe pas à la règle. Le sommeil lui est bénéfique comme à tous les autres organes. L'insomnie peut avoir un grand nombre de causes, mais la principale est la vie déréglée que nous pouvons mener. Si le travail ou le plaisir interrompent trop fréquemment la fonction du sommeil, il est certain que cette fonction aura du mal à s'exercer normalement. Les insomnies suivront, et nous entrerons alors dans un cercle vicieux que seule une vie plus équilibrée pourra corriger.

Il est nécessaire de dormir chaque jour pendant huit heures, d'un sommeil aussi profond que possible, si nous voulons que celui-ci ait toutes les vertus réparatrices que nous lui connaissons.

La pensée

On s'imagine trop souvent que les états d'esprit n'ont pas d'influence sur le comportement de l'organisme. Or, ceux-ci exercent une influence considérable et nous ne saurions les négliger sans assister à des dérèglements souvent très graves.

Il est possible que les pensées morbides ne provoquent pas elles-mêmes la maladie mais comme elles affectent les fonctions organiques et l'activité endocrine, celles-ci n'ayant plus leur résistance première, permettent ainsi à la maladie de s'installer.

La peur, la colère, les soucis et le dépit sont contraires au bon fonctionnement de l'organisme.

Nous savons tous que l'anxiété par exemple nous poussera à mal nous alimenter et que, de plus, elle entravera considérablement la digestion. Suivront les mauvaises sécrétions externes.

On dit couramment de ces états d'âme « qu'ils pèsent sur le foie ». Et on n'a pas tort. Le foie est sans doute le premier touché par l'esprit négatif et déprimé. Ces sentiments altèrent la bile et crispent le pancréas. Si ces états d'âme devaient durer quelque temps, il est certain que la fonction hépatique en serait profondément perturbée.

Cela d'ailleurs joue dans les deux sens. Lorsque le foie fonctionne mal nous avons facilement tendance à l'irritation ou à l'amertume. L'interdépendance des fonctions de l'esprit et des fonctions hépatiques n'est plus à prouver.

Il faut donc sans cesse faire l'effort nécessaire pour garder l'esprit calme et froid, pour éviter l'irritation et la colère et pour se donner une forte discipline qui permette de régler les problèmes à mesure qu'ils surviennent plutôt que de s'en faire pendant des semaines sans jamais agir pour leur trouver une solution.

En somme, on peut affirmer que la joie conditionne l'organisme. La dépression psychologique entrave le bon fonctionnement de l'organisme mais la joie de vivre et l'optimisme régularisent les fonctions.

Si vous vous sentez déprimé ou abattu, il faut, de toute urgence, que vous fassiez un effort de volonté soutenu pour recouvrer la santé morale sans laquelle il n'y a pas de santé physique réelle.

Ce qu'il faut faire

On s'imagine toujours, lorsqu'on souffre de quelque mal, qu'il faille s'engager dans des traitements longs et coûteux dont les résultats ne sont pas toujours aussi satisfaisants qu'on le voudrait.

Or, dans la plupart des cas, cela n'est pas nécessaire. Beaucoup de problèmes hépatiques, par exemple, peuvent être réglés par des moyens très simples qui n'exigent pas de traitement « médical » comme tel.

Nous avons déjà parlé de la respiration.

Mais si vous souffrez d'engorgement du foie ou que vos fonctions hépatiques ont besoin de stimulation, il n'existe rien de tel que les applications chaudes sur la région concernée. C'est là un des moyens les plus efficaces et les plus sûrs pour traiter ces problèmes. Rien de compliqué pourtant. Il suffit d'appliquer sur la région du foie une bouillotte d'eau chaude le soir au coucher, exercice que vous pouvez répéter tous les soirs aussi longtemps que vous en sentez le besoin et même systématiquement, pendant toute votre vie, de sorte que même si votre foie est en bon état de fonctionnement et qu'il ne vous crée pas d'ennuis particuliers, vous vous assurez quand même de le maintenir en équilibre fonctionnel jour après jour et vous vous évitez ainsi les surprises désagréables qui pourraient surgir tout à coup sans que vous ayez pu les prévenir.

Puisque nous parlons de chaleur, aussi bien mentionner ici la nécessité de l'ensoleillement régulier. Bien sûr, au Québec, nous n'avons pas un climat qui nous permette de passer l'année à nous faire dorer doucement au soleil. C'est une raison supplémentaire pour en profiter le plus possible pendant les mois chauds d'ensoleillement qui nous sont départis.

Encore là, il s'agit d'un moyen que la nature met à notre disposition, gratuitement, et que nous n'utilisons pas assez. Nous préférons payer des prix de fous pour des médicaments qui sont censés remplacer le soleil et qui sont loin d'en avoir l'efficacité.

Le soleil, en effet, est un grand régénérateur de la vitalité de toutes les cellules du corps humain et plus particulièrement des cellules hépatiques.

C'est donc dire que le foie ne peut que profiter de tous les bains de soleil que vous pouvez prendre en été. Et pour ce faire, il n'est pas nécessaire de partir à la plage pendant deux mois. Au contraire, il faut le faire tous les jours, chez-soi, dans le jardin, sur la terrasse, sur le balcon ou même à sa fenêtre (ouverte évidemment).

Vous auriez grand intérêt par ailleurs à vous informer davantage sur le sujet en vous procurant le livre que j'y ai consacré *La santé par le soleil.*

L'exercice physique

On sait depuis toujours que le sédentarisme exagéré, provoqué par les conditions de vie modernes, est source de nombreux problèmes organiques.

Le corps humain a un besoin vital d'exercice physique. Le foie tout particulièrement. En effet, l'exercice physique est l'un des moyens préventifs les plus certains contre les problèmes hépatiques. Il active les fonctions circulatoires et il entraîne l'élimination des toxines qui apportent toujours un surcroît de travail au foie.

Ce qu'il faut bien comprendre, c'est qu'en général nous mangeons beaucoup trop et que les aliments que nous consommons ne sont pas «usés» par une activité physique suffisante.

Très souvent, nous nous forçons à un régime alimentaire déficient sous prétexte de ne pas nous suralimenter et ainsi d'éliminer ce problème. Mais ce n'est pas là la vraie solution. Il faut que nous mangions normalement mais que nous augmentions la part de l'exercice physique dans notre vie de tous les jours.

Il est certain que la diminution de la consommation peut avoir des effets néfastes sur l'organisme en le privant d'éléments essentiels à son bon fonctionnement tandis que l'exercice physique permet au contraire d'utiliser à leur maximum tous les éléments nutritifs que nous absorbons sans permettre à ceux-ci de se transformer en toxines.

Vous direz peut-être que si vous mangez abondamment, votre estomac se rebiffera. Mais c'est alors que votre estomac est surchargé qu'il ne fonctionne plus normalement. Ce n'est pas en lui interdisant de fonctionner, en le «privant» que vous pourrez régler ce problème mais au contraire, en lui permettant de s'activer normalement, ce qui est toujours le cas quand on pratique suffisamment d'exercice physique. D'ailleurs, il n'y a là qu'un fait très naturel. L'homme n'est pas fait pour rester assis toute la journée. Autrefois l'exercice faisait partie de la vie courante, on n'avait même pas à y penser. Mais aujourd'hui, il faut faire un effort dans ce sens puisque tout concourt à nous enfoncer dans un sédentarisme aussi nocif qu'ennuyeux.

Lorsqu'on parle du foie, on y associe nécessairement d'autres organes qui le complètent ou qui le prolongent dans ses fonctions. Ainsi en est-il du gros intestin. Si celui-ci fonctionne mal, il est certain que ce problème affectera rapidement les fonctions hépatiques.

C'est pourquoi il faut à tout prix éviter la constipation. Comment ? Encore là, le plus souvent, on se bourre de pilules et de remèdes de toutes sortes qui, s'ils ont un effet immédiat à court terme, provoquent toutes sortes de complications à long terme. Et pourtant, dans ce cas comme dans les autres, il existe un remède absolu et complètement naturel par surcroît, c'est encore l'exercice physique.

Tous les exercices qui raffermissent la paroi abdominale, avec effet direct sur le gros intestin, sont à recommander. Mais il en est un qui ne demande aucun effort particulier et qui donne toujours des résultats bénéfiques, c'est la marche.

Combien de maux pourraient être évités par une bonne promenade quotidienne entreprise à un pas vif et énergique.

Il n'est pas nécessaire de marcher des milles tous les jours. Mais rien de tel pour éviter la constipation qu'une bonne marche dans le parc le plus proche, ou pour aller au bureau.

D'ailleurs, si vous voulez en savoir plus long sur le sujet, Guy Bohémier, n.d., a écrit un livre : *Exercice physique pour tous*. Il vous donnera tous les renseignements utiles. Vous comprendrez facilement, à la lecture de ce livre, les bienfaits considérables de l'exercice physique et peut-être en conclurez-vous qu'il vous faut au plus tôt vous débarrasser de votre automobile comme premier pas dans la voie de reconditionnement physique que vous recherchez.

En cas de crise

La crise du foie est fort douloureuse et très désagréable.

Lorsqu'elle frappe, que doit-on faire ? D'abord et avant tout consulter son naturopathe. Ce n'est pas là un caprice. En effet, il est toujours dangereux de se soigner soi-même. Ce faisant, très souvent, on peut augmenter le mal qu'on voulait corriger ou encore le déplacer vers un autre organe, faute d'avoir employé le bon traitement. Le naturopathe connaît son métier. Si de plus il vous suit depuis un certain temps, il connaît les forces et les faiblesses de votre organisme, ce qui lui permet de prescrire exactement le genre de traitement dont vous avez besoin.

On connaît déjà les conséquences de la déficience du foie. Certains aliments se changent en poisons faute d'avoir été transformés correctement. Cela peut dégénérer en troubles nerveux, en apathie, en agitation, voire en confusion mentale.

Il arrive d'autre part que la sécrétion de certains ferments dont l'organisme a besoin pour assurer la digestion, soit interrompue. Gaz et toxines sont alors libérés dans l'organisme et augmentent le dérèglement initial.

Il faut alors immédiatement manger moins qu'auparavant. Certains aliments doivent être éliminés complètement : les laitages, les oeufs, les farineux, les céréales. Il faut même arrêter de manger complètement si vous faites de la fièvre.

Par ailleurs, il faut boire énormément. Les liquides devront être non nutritifs, des tisanes, de l'eau avec des jus de fruits. On peut en boire plusieurs pintes par jour. On coupe les aliments qui pourraient se transformer en poisons et on profite de ce moment pour nettoyer le sang et le foie en ingurgitant force boissons.

Il faut jeûner ainsi pendant quelques jours. Puis on recommence à s'alimenter lentement, d'abord avec des jus de fruits ou de carottes, tout en continuant à boire beaucoup d'eau. On ajoutera ensuite les fruits frais et les légumes crus.

L'organisme ainsi nettoyé pourra reprendre ses fonctions normales. Il faut alors faire attention de ne pas retomber dans les mêmes mauvaises habitudes. Les traitements, bien sûr, peuvent remettre un organisme en état de fonctionnement mais il en va du corps humain comme d'une voiture : lorsqu'on a un accident, le corps, tout comme la voiture, en gardera toujours des cicatrices.

Ce qu'il faut à tout prix retenir, c'est que le foie peut rendre des services extraordinaires à condition de le garder en bonne condition. Pour ce faire, rien de tel que le régime naturel : de l'air, du soleil, de l'eau, et surtout une alimentation saine. Au Québec, de nos jours, il existe nombre de magasins d'alimentation naturelle qui nous facilitent la tâche. Vous y trouverez tous les aliments naturels dont vous avez besoin pour vous entretenir en parfaite santé.

D'autre part, consultez régulièrement votre naturopathe et vous verrez que la vie peut être aussi belle qu'on le désire... *si le foie est en santé.*

IL VAUT MIEUX ÉVITER LES ACCIDENTS QUE D'AVOIR À LES RÉPARER !

TABLE DES MATIÈRES

QUATRIÈME CHAPITRE

CINQUIÈME CHAPITRE

SIXIÈME CHAPITRE

SEPTIÈME CHAPITRE

HUITIÈME CHAPITRE

NEUVIÈME CHAPITRE

DIXIÈME CHAPITRE

LISTE DES MARCHANDS
LE NATURISTE

BOUCHERVILLE
Promenades Montarville
Tél. : 655-2501

VERDUN
3990, Wellington
Tél. : 761-7464

MONTRÉAL
8111, rue St-Denis
Tél. : 388-1793

MONTRÉAL
1206 est, rue Mont-Royal
Tél. : 523-5364

MONTRÉAL
3419 est, rue Ontario
Tél. : 525-2211

MONTRÉAL
La Baie - Centre-ville
585 ouest, rue Ste-Catherine
Tél. : 281-4876

ST-HUBERT
Galeries Cousineau
Tél. : 678-5613

QUÉBEC
269 est, St-Joseph
Tél. : 529-5959

MONTRÉAL
370, rue Jean-Talon
Tél. : 271-3666

MONTRÉAL
3140, rue Masson
Tél. : 728-2136

ST-LÉONARD
5762 est, rue Jean-Talon
Tél. : 253-2909

MONTRÉAL
1000 est, Fleury
Tél. : 381-1417

MONTRÉAL-NORD
Mail Léger Langelier
6425, boul. Léger
Tél. : 325-4270

BEAUBIEN
777 est, Beaubien
Tél. : 273-2992

STE-FOY
Centre d'achats Place Laval
2750, chemin Ste-Foy
Tél. : 659-4255

SHERBROOKE
Carrefour de l'Estrie
3750, boul. Portland
Tél. : 564-7648

SHERBROOKE
Galeries Quatre-Saisons
930, 13e Avenue
Tél. : 566-8033

MONTMAGNY
40, 3e Avenue
Tél. : 248-3220

SHAWINIGAN
1, Plaza de la Mauricie
Tél. : 539-5168

THETFORD-MINES
Galeries de Thetford
520, boul. Smith
Tél. : 338-1888

LÉVIS
Galeries du Rond Point
44, rue Kennedy
Tél. : 837-9478

ST-GEORGES DE BEAUCE
Carrefour St-Georges
8585, boul. Lacroix
Tél. : 228-9735

ROCK FOREST
Carrefour de l'Estrie
3750, boul. Portland
Tél. : 567-7848

STE-MARIE DE BEAUCE
1116, boul. Vachon
Tél. : 387-3566

VICTORIAVILLE
Carrefour des Bois-Francs
507 est, boul. Jutras
Tél. : 758-7112

VAL D'OR
1801, 3e Avenue
Tél. : 824-9432

ST-ANTOINE DES LAURENTIDES
595, boul. St-Antoine
Tél. : 438-6191

QUÉBEC
545, St-Jean
Tél. : 522-1108

LA TUQUE
343, St-Joseph
Tél. : 523-8308

BELOEIL
Mail Montenach
600, Sir Wilfrid Laurier
Tél. : 464-4699

SAINT-HENRI
3459 ouest, Notre-Dame
Tél. : 931-9116

POINTE-AUX-TREMBLES
1574, boul. St-Jean-Baptiste
Tél. : 645-2445

MONTRÉAL-NORD
9101, boul. Pie-IX
Tél. : 322-9551

LAVAL
Centre Laval
Tél. : 681-5166

REPENTIGNY
Galeries Rive-Nord
Tél. : 581-8722

STE-FOY
Place Bellecour
Tél. : 658-6151

ST-HYACINTHE
1723, des Cascades
Tél. : 778-1440

ST-JEAN
1000, boul. du Séminaire
Tél. : 348-4212

CHICOUTIMI
Place Saguenay
Tél. : 549-1911

MONTRÉAL
926 est, rue Ste-Catherine
Tél. : 843-7608

Achevé d'imprimer au Canada
Imprimerie Gagné Ltée Louiseville